La grammaire du français

*en 44 leçons
et plus de 230 activités*

Sylvie Poisson-Quinton

niveau
A1

Editions Maison des Langues, Paris

Ce cahier de grammaire A1 permet aux apprenants adolescents ou adultes de travailler les points de grammaire correspondant aux contenus grammaticaux du niveau A1 du Cadre européen commun de référence pour les langues (CECRL).

Ils peuvent utiliser ce cahier en complément de leur manuel de première année de français, en classe ou à la maison, pour préparer un examen (le DELF A1 par exemple), ou en auto-apprentissage. Les exercices proposés permettent de travailler seul ou en groupe.

Les onze chapitres de ce cahier comprennent chacun quatre leçons de deux pages.

Sur la page de gauche, on trouvera :

- un petit document déclencheur illustrant le point de grammaire abordé : mini dialogue enregistré, dessin, publicité, affiche, slogan, extrait de poème...

- des explications, aussi simples que possible. De nombreux exemples aident l'apprenant à bien cerner le point de grammaire traité en le mettant en contexte.

- un ou deux encadrés permettant d'insister sur certains aspects ou de mettre en garde contre certaines erreurs prévisibles (« ne pas confondre... » par exemple).

- des renvois à d'autres leçons afin de favoriser la mise en relation des divers points de grammaire traités.

Sur la page de droite, nous proposons :

- une série d'exercices permettant de mettre en pratique les contenus qui sont en vis-à-vis.

- de nombreuses activités s'appuyant sur des documents audio qui permettent, au-delà du strict aspect grammatical, de perfectionner la compréhension orale et de prendre conscience de l'importance de l'intonation pour interpréter correctement un message.

Les autres exercices sont aussi variés que possible. Certains sont strictement grammaticaux (travail sur la conjugaison, par exemple), surtout dans les premières leçons. D'autres sont plus créatifs tout en restant très simples. Les contenus grammaticaux suivent les recommandations du CECRL en ce qui concerne le niveau A1.

À la fin de chaque chapitre, on trouvera une page *On fait le point !* qui permet de revenir sur l'ensemble des points de grammaire étudiés dans les quatre leçons qui précèdent. Pour finir, une petite rubrique interculturelle (*Et chez vous ?*) donnera aux apprenants l'occasion de mener une réflexion sur leur propre langue et/ou sur les langues qu'ils connaissent afin de les comparer avec les structures de la langue française.

À la fin du cahier, on trouvera aussi des tableaux de conjugaison, des constructions verbales, un alphabet phonétique ainsi qu'un index.

Bon travail et bon courage. Vous verrez, la grammaire, c'est souvent très amusant !

L'auteure

Sommaire

1. SE PRÉSENTER

1.1 Vous êtes française ?

Je suis + nationalité

Piste 1

Je suis + profession

Piste 2

Le verbe ÊTRE, le singulier (1)

je suis [ʒəsɥi]
tu es [tyɛ]
vous êtes (politesse) [vuzɛt]
il/elle est [ilɛ/ɛlɛ]

Le sujet est obligatoire.
~~Est français.~~ → **Il** est français.
~~Est actrice.~~ → **Elle** est actrice.

TU ou VOUS ? (1)

• On utilise « tu » dans un contexte informel (famille, amis, proches, enfants).
   *Salut ! **Tu** es étudiant ?*

• On utilise le « vous » de politesse dans un contexte formel
   (au travail, entre personnes qui ne se connaissent pas…).
   *Pardon, madame, **vous** habitez ici ?*

Dire sa nationalité

• On écrit les noms de nationalité avec une majuscule.

Adjectifs de nationalité	Noms de nationalité
il est français/elle est française	un Français/une Française
il est italien/elle est italienne	un Italien/une Italienne
il est suédois/elle est suédoise	un Suédois/une Suédoise
il est chinois/elle est chinoise	un Chinois/une Chinoise
il est belge/elle est belge	un Belge/une Belge

Dire sa profession

Adjectifs de profession	Noms de profession
il est professeur/elle est professeure	un professeur/une professeure
il est architecte/elle est architecte	un architecte/une architecte
il est ingénieur/elle est ingénieure	un ingénieur/une ingénieure
il est éditeur/elle est éditrice	un éditeur/une éditrice
il est infirmier/elle est infirmière	un infirmier/une infirmière

1 Complétez.

Élise Andrade
Colombie
architecte

Hugo Blanc
France
étudiant

1. – Je suis Élise Andrade, _____

_____

2. – Je suis Hugo Blanc, _____

_____

Kent Sorensen
Suède
musicien

Ana Hernandez
Espagne
étudiante

3. – Je suis Kent Sorensen, _____

_____

4. – Je suis Ana Hernandez, _____

_____

2 Écoutez et cochez la bonne réponse.

1. ☐ Vous êtes français ? ☐ Vous êtes française ?
2. ☐ Il est brésilien.   ☐ Elle est brésilienne.
3. ☐ Tu es anglais ?   ☐ Tu es anglaise ?

4. ☐ Vous êtes chinois ? ☐ Vous êtes chinoise ?
5. ☐ Il est mexicain.   ☐ Elle est mexicaine.
6. ☐ Il est espagnol.   ☐ Elle est espagnole.

3 Masculin ou féminin ? Écoutez et cochez la bonne réponse.

1. ☐ français   ☐ française
2. ☐ suédois   ☐ suédoise
3. ☐ allemand   ☐ allemande

4. ☐ italien   ☐ italienne
5. ☐ grec   ☐ grecque

4 Complétez, écoutez et répétez.

1. Il est polonais, elle est _____.
2. Il est brésilien, elle est _____.
3. Il est _____, elle est suisse.

4. Il est anglais, elle est _____.
5. Il est danois, elle est _____.
6. Il est _____, elle est turque.

5 Qui est-ce ? Cherchez sur Internet.

1. Rokia Traore est _____

_____,

elle est _____

_____

_____

2. Bastian Baker est _____

_____,

il est _____

_____

_____

9

1.2 J'habite à Liège

Piste 6

Les verbes en –ER, le singulier (1)

TRAVAILLER

je travaill**e**
tu travaill**es**
il/elle travaill**e**
vous travaill**ez**

HABITER

j'habit**e**
tu habit**es**
il/elle habit**e**
vous habit**ez**

ÉTUDIER

j'étudi**e**
tu étudi**es**
il/elle étudi**e**
vous étudi**ez**

Habiter, travailler, étudier + à + ville

*J'habite **à** Paris. Je travaille **à** Bruxelles. J'étudie **à** New York...*

Le nom

Le nom est masculin ou féminin, il n'y a pas de neutre.
Le genre des noms est arbitraire, il n'y a pas de règle.
***Le** bateau et **la** voiture, **le** fleuve et **la** rivière, **un** roman et **une** histoire.*

> Devant une voyelle
> (**a**, **e**, **i**, **o**, **u**, **y**) ou
> un **h** muet
> je → j'
> Je étudie → **J'é**tudie
> Je habite → **J'h**abite

Les nombres de 0 à 50

0 - zéro	10 - dix	20 - vingt	30 - trente
un	onze	vingt-et-un	trente-et-un
deux	douze	vingt-deux	trente-deux
trois	treize	vingt-trois	...
quatre	quatorze	vingt-quatre	**40 - quarante**
cinq	quinze	vingt-cinq	quarante-et-un
six	seize	vingt-six	quarante-deux
sept	dix-sept	vingt-sept	...
huit	dix-huit	vingt-huit	...
neuf	dix-neuf	vingt-neuf	**50 - cinquante**

> Tous les noms qui se terminent en **-sion**, **-tion** ou **-xion** sont féminins (*la passion, la nation, la réflexion...*) et tous les noms qui se terminent en **–ment** sont masculins (*le document, le bâtiment, le monument...*).

1 **Complétez les séries de nombres.**

Trente-deux   Quarante-deux

_____   _____

_____   _____

_____   _____

_____   _____

_____   _____

_____   _____

Quarante   Cinquante

ste 7

2 **Écoutez et cochez la bonne réponse.**

1. ☐ 27   ☐ 35   ☐ 37
2. ☐ 18   ☐ 28   ☐ 48
3. ☐ 10   ☐ 12   ☐ 16
4. ☐ 21   ☐ 31   ☐ 34
5. ☐ 14   ☐ 34   ☐ 44

ste 8

3 **Écoutez et complétez les cartes de visite.**

Théo **BAUDINET**
_____
_____rue de la Tour
10000 TROYES

Arturo **DA SILVA**
_____
_____avenue Kléber
75016 _____

4 **Présentez-les.**

UNIVERSITÉ Chung Hsing Ta
Prof. **YANG** Feng-Hua
Directrice du Département de français
TAICHUNG (TAÏWAN)

Docteur
Georges **La Tournelle**
Médecin spécialiste du sport
111 rue du Capitaine Ferber
33000 BORDEAUX

Elle s'appelle _____

_____

Il s'appelle _____

_____

5 **À vous ! Présentez-vous.**

_____

1.3 Ils habitent à Liverpool

Piste 9

• *Pardon, c'est libre ?*
• *Oui, oui. C'est libre.*
• *Merci. Bonjour. Vous êtes françaises ? Vous habitez à Paris ?*
• *Oui. Nous travaillons là, au musée. Vous êtes touristes ?*
• *Non, Philippe et moi, nous étudions à la Sorbonne. Et nous sommes français.*
Mais Sam et Kate sont anglais, ils sont touristes. Ils habitent à Liverpool.
♦ *Oui, nous visitons Paris.*

Le verbe ÊTRE, le pluriel (2)

nous sommes [nusɔm]
vous êtes [vuzɛt]
ils/elles sont [ilsõ/ɛlsõ]

Les verbes en –ER, le pluriel (2)

TRAVAILLER	HABITER	ÉTUDIER
nous travaill**ons** [nutravajõ]	nous habit**ons** [nuzabitõ]	nous étudi**ons** [nuzetydjõ]
vous travaill**ez** [vutravaje]	vous habit**ez** [vuzabite]	vous étudi**ez** [vuzetydje]
ils/elles travaill**ent**	ils/elles habit**ent**	ils/elles étudi**ent**
[iltravaj/ɛltravaj]	[ilzabit/ɛlzabit]	[ilzetydi/ɛlzetydi]

D'autres verbes en **–er** : visiter, parler, chanter, aimer, manger, écouter…

Le VOUS de politesse (2)

Vous peut être singulier (le **vous** de politesse) ou pluriel. Attention, le verbe est toujours au pluriel mais pas l'adjectif.

*Philippe, **vous êtes** étudiant ? Et vous, Alexandra, **vous êtes** étudiante aussi ?*
*Philippe et Alexandra, **vous êtes** étudiants ?*

Singulier et pluriel des adjectifs de nationalité et des noms de profession

Pluriel = singulier + S

Élodie est belge et Théo est belge.	→	*Ils sont belges.*
Ana est espagnole et Pepe est espagnol.	→	*Ils sont espagnols.*
Julia est italienne.	→	*Julia et Paula sont italiennes.*
Elle est professeure et il est professeur.	→	*Ils sont professeurs.*
Elle est journaliste.	→	*Elles sont journalistes.*
Marion est actrice.	→	*Marion et Angelina sont actrices.*

À + article (LE, LA, L')

*Nous travaillons **au** musée. (**au = à + le**)*
*Nous sommes **à la** Sorbonne.*
*Nous habitons **à l'**hôtel.*

Pour les noms de nationalité qui se terminent par **-s** (*français, chinois, danois…*), **singulier masculin = pluriel masculin.**
Il est anglais. → *Ils sont anglais.*
Il est japonais. → *Ils sont japonais.*

1 Écoutez et cochez la bonne réponse.

Piste 10

	1.	2.	3.	4.	5.	6.
Singulier						
Pluriel						
On ne sait pas						

2 Mettez au pluriel.

1. Je suis étudiant. → Nous _____

2. Il parle chinois. → Ils _____

3. Vous êtes belge ? → Vous _____

4. Elle habite à Ottawa. → Elles _____

5. Il est français. → Ils _____

6. Elle est française. → Elles _____

3 Complétez avec un verbe et conjuguez.

(être) (habiter) (travailler) (visiter) (étudier) (parler)

1. Nous _____ dans un restaurant.

2. Elles _____ le musée du Louvre.

3. Je _____ chinoise et il _____ coréen.

4. Ah ! Vous _____ français ! Vous _____ le français à l'université ?

5. Ils _____ colombiens mais ils _____ à Paris.

6. Ils _____ à la Banque de France.

7. Tu _____ étudiante ? Tu _____ à la Sorbonne ?

4 Complétez avec *je, nous, vous* (de politesse ou pluriel) et *elles*.

Sylvia et Clara sont canadiennes. _____ visitent la France.

– Bonjour, Sylvia. Bonjour, Clara. _____ habitez à Montréal ?

– Non, _____ habitons à Ottawa.

– Sylvia, _____ êtes étudiante à Ottawa ?

– Non, _____ suis étudiante à Québec.

– Et vous, Clara ?

– _____ travaille dans un fast-food à Ottawa.

– Et ici, à Paris, _____ habitez à l'hôtel ?

– Non, _____ sommes dans une auberge de jeunesse.

1.4 Moi, je ne parle pas italien. Et vous ?

Piste 11

Les verbes en –ER, la forme pronominale (3)

je **m**'appell**e**	nous **nous** appel**ons**
tu **t**'appell**es**	vous **vous** appel**ez**
il/elle **s**'appell**e**	ils/elles **s**'appell**ent**

D'autres verbes pronominaux en **–er** : se lever, se réveiller, se coucher, se dépêcher…

L'interrogation totale

L'interrogation totale porte sur toute la phrase.
Les réponses possibles sont : **oui**, **non**, **un peu**, **je ne sais pas**…
Elle peut se faire :

- par intonation.
  Tu parles italien ?   *Vous êtes français ?*

- avec **est-ce que**… ?
  Est-ce que *tu parles italien ?*   ***Est-ce que*** *vous êtes français ?*

> *Je parle le français.*
> → *Je parle français.*

Les pronoms toniques (1)

Ils renforcent le pronom sujet.

Je	→	**Moi**	***Moi****, j'habite à Lyon.*
Tu	→	**Toi**	*Et **toi**, tu habites où ?*
Il	→	**Lui**	***Lui****, c'est François Berger.*
Elle	→	**Elle**	***Elle****, elle s'appelle Anne Brunot.*
Vous	→	**Vous**	*Et **vous**, monsieur, vous habitez où ?*

> **ne + voyelle**
> **ou h muet = n'**
>
> *Je **n**'habite pas à Lyon.*
> *Je **n**'étudie pas l'informatique.*

La phrase négative

Construction : sujet + **ne** + verbe + **pas**
  – *Vous parlez italien ?*   – *Tu es étudiant ?*
  – *Non, je **ne** parle **pas** italien.*   – *Non, je **ne** suis **pas** étudiant, je suis informaticien.*

1 Écoutez et complétez.

1. – Vous _____ français ?

   – Oui, je _____ étudiant au département de français.

2. – Vous _____ François Berger ?

   – Non, ce n'est pas _____, c'est _____.

3. – _____ je travaille à Montreuil. Et _____, tu _____ à Paris ?

   – Je _____ à Paris, je travaille à Versailles. Mais _____ à Paris.

4. Nous _____ espagnols mais nous _____ espagnol.

   _____, elle est colombienne et _____, je suis argentin.

2 Posez une question.

1. – Est-ce que _____ ?

   – Non, Diana Alvaro, c'est elle. Moi, je suis Kay Rocca.

2. – Vous _____ ?

   – Non, je suis américaine. Diana est mexicaine.

3. – Vous _____ ?

   – À Paris ? Non. Nous, nous habitons à San Francisco.

4. – Est-ce que _____ ?

   – Oui. Moi, j'étudie l'économie et Diana étudie l'informatique.

5. – À Paris, _____ ?

   – Non, pas dans un hôtel. Dans une auberge de jeunesse.

3 Mettez à la forme négative.

1. Elle s'appelle Élisa.

   _____

2. Nous sommes colombiens.

   _____

3. Vous habitez ici ?

   _____

4. Il est étudiant ?

   _____

5. Ils parlent italien.

   _____

6. Elle étudie l'informatique.

   _____

1 Cochez la bonne réponse.

1. Ils sont □ colombien. □ colombienne. □ colombiens. □ colombiennes.
2. Elles sont □ informaticien. □ informaticienne. □ informaticiens. □ informaticiennes.
3. Il est □ étudiant. □ étudiante. □ étudiants. □ étudiantes.
4. Je parle □ italien. □ italienne. □ italiens. □ italiennes.
5. Elle est □ japonais. □ japonaise. □ japonais. □ japonaises.

2 Mettez à la forme négative.

Elles sont mexicaines, elles habitent à Monterrey. Elles étudient l'informatique. Elles parlent russe.

_____

_____

3 Écoutez et complétez.

Piste 13

1. Elle, c'est Élodie. Elle est _____.
   Elle est _____ de danse à Bruxelles.
   Elle _____ à Liège.
   Elle _____ français, anglais et néerlandais.

2. Elle, _____ Diana Alvaro. Elle est mexicaine. Elle
   habite à San Francisco. Elle _____ l'informatique à
   l'université. Elle parle espagnol et anglais, et un peu français.
   Elle _____ touriste à Paris.

3. Lui, c'est Henri Viard, il est français. Il habite à Toulouse.
   Il _____ dans le marketing.
   Il parle français, anglais et un peu allemand.

4. Lui, _____ Hui-de, il est chinois. Il habite
   à Shanghai. Il est _____ à Paris.
   Il étudie les arts plastiques et le français.

ET CHEZ VOUS ?

Dans votre langue, pour compter, vous placez les unités derrière les dizaines ou c'est différent ? Donnez des exemples.

_____

_____

2. LES GOÛTS ET LES ACTIVITÉS

2.1 Moi, j'adore la plage. Et toi ?

Piste 14

Caro
Salut, je m'appelle Caroline et j'ai dix-sept ans. J'aime sortir avec les copains, j'aime danser 😊 … Je n'aime pas l'hiver et je déteste le froid 😠 ! Je préfère l'été. 😊 J'adore la plage, la mer... 😄

Exprimer ses goûts

ADORER	**AIMER**	**PRÉFÉRER**	**DÉTESTER**
j'ador**e**	j'aim**e**	je préfè**re**	je détest**e**
tu ador**es**	tu aim**es**	tu préfè**res**	tu détest**es**
il/elle ador**e**	il/elle aim**e**	il/elle préfè**re**	il/elle détest**e**
nous ador**ons**	nous aim**ons**	nous préfér**ons**	nous détest**ons**
vous ador**ez**	vous aim**ez**	vous préfér**ez**	vous détest**ez**
ils/elles ador**ent**	ils/elles aim**ent**	ils/elles préfè**rent**	ils/elles détest**ent**

Construction des verbes

- Verbe + nom.
  J'adore la danse.

- Verbe + infinitif.
  J'aime travailler mais je préfère danser.

Les articles définis

	singulier	pluriel
masculin	*le* sport	*les* copains *les* vacances
féminin	*la* danse	
masculin ou feminin	*l'*été/*l'*Italie	

> **l'** + nom masculin ou féminin commençant par une voyelle ou un **h** muet :
> ***l'****été,* ***l'****informatique,* ***l'****hiver*…

On utilise l'article défini pour :

- une personne ou une chose déjà connue : ***le*** *fils du voisin,* ***la*** *voiture*…
- une personne ou une chose unique : ***la*** *tour Eiffel,* ***la*** *Maison Blanche*…
- une personne ou une chose déterminée : ***les*** *copains de Caroline,* ***le*** *lycée Molière*…
- quelque chose de général : ***le*** *sport,* ***la*** *danse,* ***l'****été,* ***les*** *vacances*…
- les noms de pays : ***la*** *France,* ***l'****Italie,* ***les*** *États-Unis,* ***le*** *Brésil*…

Le verbe AVOIR

j'ai	[ʒe]
tu as	[tya]
il/elle a	[ila/ɛla]
nous avons	[nuzavɔ̃]
vous avez	[vuzave]
ils/elles ont	[ilzɔ̃/ɛlzɔ̃]

Pour dire son âge, on utilise le verbe **avoir**.
*J'**ai** dix-sept ans.*   *Elle **a** un an.*

1 Écoutez. Vous entendez *le* ou *les* ? Cochez la bonne réponse.

1. □ le sport   □ les sports   5. □ le pays   □ les pays

2. □ le copain   □ les copains   6. □ le café   □ les cafés

3. □ le professeur   □ les professeurs   7. □ le touriste   □ les touristes

4. □ le restaurant   □ les restaurants   8. □ le musée   □ les musées

2 Complétez avec *le, la, l'* ou *les*. Cherchez dans le dictionnaire.

1. _____ garçon

2. _____ mathématiques

3. _____ hiver

4. _____ mer

5. _____ hôtel

6. _____ touristes

7. _____ université

8. _____ études

9. _____ café

10. _____ été

11. _____ plage

12. _____ restaurant

13. _____ famille

14. _____ musée

15. _____ vacances

16. _____ musique

17. _____ banques

18. _____ livre

3 Vous connaissez ? Dites ce que c'est.

_____   _____   _____   _____

4 Complétez et conjuguez.

(avoir) (être) (s'appeler) (habiter) (étudier) (adorer) (aimer) (préférer) (détester)

Je _____ Lisa, j'_____ vingt-et-un ans et j'_____ à Lille.

Je _____ étudiante, j'_____ les mathématiques à l'université de Lille 2.

J'_____ 😊 la musique et les vacances et j'_____ 😄 le sport.

Je _____ 😠 le football, je _____ 😊 la danse !

5 Et vous ? Qu'est-ce que vous aimez ? Qu'est-ce que vous n'aimez pas ?

_____

_____

_____

2.2 Il a un frère et une sœur

Les articles indéfinis

	singulier	pluriel
masculin	**un** fils	**des** enfants
féminin	**une** fille	

On utilise l'article indéfini **un**, **une** ou **des** pour introduire une personne ou une chose pas encore connue.

On utilise aussi **un** et **une** pour compter.
    *J'ai **un** fils. J'ai **une** fille.*

J'ai un frère.
  → Je n'ai **pas de** frère.
J'ai une voiture.
  → Je n'ai **pas de** voiture.
J'ai des copains.
  → Je n'ai **pas de** copains.

Poser une question sur quelqu'un

Qui est-ce ? → **C'est...** ou **Ce sont...**

C'est *Marie, une copine.* / ***Ce sont*** *des touristes.*

Poser une question sur quelque chose

Qu'est-ce que c'est ? → **C'est...** ou **Ce sont...**

C'est *un chien.* / ***Ce sont*** *des chiens.*
C'est *une clé.* / ***Ce sont*** *des clés.*

1 Écoutez. Vous entendez *un* ou *une* ? Cochez la bonne réponse.

	1.	2.	3.	4.	5.	6.	7.	8.
un								
une								

2 Complétez avec *un* ou *une*.

1. _____ ami français

2. _____ copain belge

3. _____ petite sœur

4. _____ amie grecque

5. _____ amie italienne

6. _____ restaurant chinois

7. _____ actrice anglaise

8. _____ copine belge

9. _____ grand frère

10. _____ amie belge

11. _____ chien allemand

12. _____ clé

3 Complétez avec *un, une* ou *des*.

1. _____ amis français

2. _____ amie italienne

3. _____ très beau musée

4. _____ hiver très froid

5. _____ copain italien

6. _____ idées intéressantes

7. _____ copine canadienne

8. _____ amies chinoises

9. _____ professeure

10. _____ frères

11. _____ amie belge

12. _____ acteur suédois

4 Utilisez *Qui est-ce ?* ou *Qu'est-ce que c'est ?*

1. – _____ ?

   – C'est le stylo de Margot.

2. – _____ ?

   – Ce sont les clés de Martin.

3. – _____ ?

   – C'est le copain de Laure.

4. – _____ ?

   – C'est Hector Mallet.

5. – _____ ?

   – C'est un cadeau pour toi.

6. – _____ ?

   – C'est l'ami de Pierre.

7. – _____ ?

   – C'est le livre de Julie.

8. – _____ ?

   – C'est Manon Prune.

9. – _____ ?

   – C'est la copine de Mateo.

10. – _____ ?

   – C'est la carte de visite de Charline.

5 Qu'est-ce que c'est ? Faites des phrases.

C'est _____   C'est _____   C'est _____   C'est _____

_____   _____   _____   _____

Liste 17

21

2.3 Une belle plage : la plage de Copacabana

Il y a / Il n'y a pas

Pour indiquer la présence :

- **Il y a** + article + nom singulier
  Il y a un musée intéressant.

- **Il y a** + article + nom pluriel.
  Il y a des musées.

Pour indiquer l'absence :

- **Il n'y a pas** + de + nom.
  Il n'y a pas de musées.

Les articles définis et indéfinis

On utilise les articles indéfinis (**un, une, des**) pour :

- quelqu'un ou quelque chose qui n'est pas unique.
  Un musée, une plage, un copain...

On utilise les articles définis (**l', le, la, les**) pour :

- quelqu'un ou quelque chose de précis, de connu ou d'unique.
  *Le musée du quai Branly, la plage de Copacabana,
  le copain français de Carol, le soleil, la lune...*

- quelque chose de général.
  L'art, la musique, la peinture, le sport...

À Paris, il y a un musée très intéressant, le musée du Quai Branly. Et un cimetière célèbre, le cimetière du Père Lachaise.

1 Écoutez et cochez ce que vous entendez. Qu'est-ce qu'il y a sur la table ?

1. ☐ un verre ☐ des verres 6. ☐ une pomme ☐ des pommes
2. ☐ un stylo ☐ des stylos 7. ☐ un croissant ☐ des croissants
3. ☐ une clé ☐ des clés 8. ☐ un café ☐ des cafés
4. ☐ une carte postale ☐ des cartes postales 9. ☐ un gâteau ☐ des gâteaux
5. ☐ une banane ☐ des bananes 10. ☐ une enveloppe ☐ des enveloppes

2 Lisez la liste, regardez l'image et faites deux phrases.

| une banane | un chapeau | un chat | des chaussures | un soda | des clés |
| une lampe | une lettre | un livre | un sac | un ordinateur | un stylo |

Sur la table, il y a _____

_____

Sur la table, il n'y a pas _____

_____

3 Vous entendez *des* ou *les* ? Cochez la bonne réponse.

	1.	2.	3.	4.	5.	6.	7.	8.
des								
les								

4 Complétez avec un article défini (*l'*, *le*, *la*, *les*) ou indéfini (*un*, *une*, *des*).

1. – Il aime bien _____ musique ?

   – Oui, il adore _____ rock et _____ électro.

2. – Vous avez _____ enfants ?

   – Oui, deux. J'ai _____ fille, elle s'appelle Nina.

   Et _____ garçon, Stan.

3. – Tu aimes _____ cinéma ?

   – Oui, surtout _____ films japonais.

4. – Qui est-ce ?

   – C'est _____ professeur du lycée, c'est

   _____ professeur de mathématiques

   d'Alice.

5. – Il y a _____ clés sur la table.

   – Oui, ce sont _____ clés de Martin.

5 Devinettes.

1. C'est un pays d'Asie. La monnaie est le won. C'est _____.

2. C'est un très grand musée à Paris avec une grande pyramide. C'est _____.

   À l'intérieur du musée, il y a un tableau très célèbre de Léonard de Vinci. C'est _____.

3. C'est un fleuve de 6 700 kilomètres très important pour l'Égypte et le Soudan. C'est _____.

4. C'est une tour célèbre en Italie. C'est _____.

5. C'est une course cycliste française très célèbre. C'est _____.

6. Ce sont des montagnes très hautes entre la France et l'Espagne. Ce sont _____.

2.4 Elle est petite et blonde

Piste 20

ESPACE RENCONTRES

Salut ! Je m'appelle Alice, je suis petite, blonde ; j'ai les yeux verts. Je suis jolie et gaie. J'étudie le théâtre et la danse classique. J'ai dix-neuf ans. Je cherche des amis pour sortir. J'aime les garçons beaux, sympathiques et intelligents… Je préfère les cheveux bruns et j'adore les yeux noirs…

Le genre et le nombre des adjectifs

	singulier	pluriel
masculin	Il est gran**d**. Il est bru**n**. Il est blon**d**.	Ils sont gran**ds**. Ils sont bru**ns**. Ils sont blon**ds**.
féminin	Elle est gran**de**. Elle est bru**ne**. Elle est blon**de**.	Elles sont gran**des**. Elles sont bru**nes**. Elles sont blon**des**.

En général, **féminin** = **masculin** + **–e**.
Mais il y a des exceptions : *il est beau, elle est belle.*

En général, **pluriel** = **singulier** + **–s**.

Si l'adjectif se termine par un **-e**, **masculin** = **féminin**.
Il est jeune, elle est jeune.

Il est jeune.

Il est vieux.

Si l'adjectif se termine par un **–s** ou un **–x**, **singulier** = **pluriel**.
Il est chinois, ils sont chinois.
Il est vieux, ils sont vieux.

Les nombres de 50 à 100

50 - cinquante	70 - soixante-dix	80 - quatre-vingts	90 - quatre-vingt-dix
cinquante-et-un	soixante-et-onze	quatre-vingt-un	quatre-vingt-onze
cinquante-deux	soixante-douze	quatre-vingt-deux	quatre-vingt-douze
cinquante-trois	soixante-treize	quatre-vingt-trois	quatre-vingt-treize
…	soixante-quatorze	quatre-vingt-quatre	quatre-vingt-quatorze
60 - soixante	soixante-quinze	quatre-vingt-cinq	quatre-vingt-quinze
soixante-et-un	soixante-seize	quatre-vingt-six	quatre-vingt-seize
soixante-deux	soixante-dix-sept	quatre-vingt-sept	quatre-vingt-dix-sept
soixante-trois	soixante-dix-huit	quatre-vingt-huit	…
…	soixante-dix-neuf	quatre-vingt-neuf	**100 - cent**

En Belgique et en Suisse, on dit :
70 = septante, 78 = septante-huit.
90 = nonante, 99 = nonante-neuf.
En Suisse, on dit aussi :
80 = huitante, 81 = huitante-un, etc.

Si quatre-**vingt** est suivi d'un chiffre, il n'y a pas de **–s** à **vingt**
(*quatre-**vingt**-un*).
*Elle a quatre-**vingts** ans. Mais Il a quatre-**vingt**-cinq ans.*

Piste 21

1 Vous entendez un masculin, un féminin ou on ne sait pas ? Cochez la bonne réponse.

	1.	2.	3.	4.	5.	6.	7.	8.
Masculin								
Féminin								
On ne sait pas								

Piste 22

2 Écoutez et écrivez le nombre comme dans l'exemple.

1. ___14___   4. _____   7. _____   10. _____

2. _____   5. _____   8. _____   11. _____

3. _____   6. _____   9. _____   12. _____

Piste 23

3 Écoutez ces quatre numéros de téléphone et complétez-les.

1. 01 - ___ - 24 - 55 - 98   3. 04 - 68 - ___ - 38 - 38

2. 02 - 78 - ___ - 23 - 90   4. 01 - ___ - ___ - 12 - ___

4 Mettez au féminin.

1. Il est grand.

Elle n'est pas _____, elle est petite.

2. Il est brun.

Elle est _____.

3. Il est très beau.

Elle est _____ aussi.

4. Sam est sympathique.

Hélène est _____ aussi.

5. Il est jeune.

Elle est _____ aussi, elle a 27 ans.

6. Sam est antillais.

Hélène n'est pas _____, elle est suisse.

5 Mettez au pluriel.

1. Elle est grande et blonde.

Elles _____.

2. C'est un étudiant chinois.

Ce sont _____.

3. Il n'est pas français.

Ils _____.

4. Elle est très belle.

Elles _____.

5. Il est vieux ?

Ils _____ ?

6. Il est très jeune !

Ils _____ !

6 Entourez la bonne réponse.

1. Alice a un **petit** / **petite** chat **noir** / **noire**.
2. J'ai une **beau** / **belle** voiture **anglais** / **anglaise**.
3. C'est un **grand** / **grande** appartement très **clair** / **claire**.
4. Ils sont **belles** / **beau** / **beaux** et très **sympathique** / **sympathiques**.
5. Elles sont **vieux** / **vieilles** mais très **beaux** / **belle** / **belles**.

On fait le point !

1 Complétez avec les articles définis (*le, la, l', les*) et indéfinis (*un, une, des*).

Au Louvre, il y a _____ tableaux, _____ sculptures, _____ objets d'art... Il y a aussi _____ très bon restaurant et _____ belle boutique pour acheter _____ cadeaux. J'aime beaucoup _____ tableaux de Véronèse ; Michèle préfère _____ tableaux de Botticelli. Elle aime beaucoup aussi _____ art roman. Victor préfère _____ peinture moderne. Il va souvent visiter _____ musée d'Art moderne. Chez lui, il y a _____ beau tableau de Riopelle. Vous connaissez Riopelle ? Non ? C'est _____ peintre contemporain très intéressant.

2 Complétez avec les questions (*Qui est-ce ?* ou *Qu'est-ce que c'est ?*) et avec les pronoms toniques, les articles définis et les articles indéfinis qui conviennent.

1. – Allô ? _____ ? C'est _____, Maya ?

   – Non, ce n'est pas Maya, c'est Elsa.

2. – _____ ? Ce sont _____ copains à toi ?

   – Oui, ce sont _____ frères de Maïté.

3. – _____ ?

   – C'est _____ roman magnifique, c'est _____ nouveau livre de Modiano.

4. – _____ ?

   – Ce sont _____ baskets. C'est pour _____ anniversaire de Théo.

5. – _____ ? _____ ordinateur ? Il est à _____ ?

   – Non, c'est _____ mini-ordinateur de Sylvia.

6. – _____ ?

   – C'est _____ nouvelle Peugeot 508 TX. C'est _____ voiture extraordinaire !

ET CHEZ VOUS ?

Dans votre langue, est-ce qu'il y a des articles (définis ou indéfinis) comme en français ?

_____

Comment traduisez-vous les deux phrases suivantes :

Dans le musée du Louvre, il y a des statues grecques.

_____

Je connais un peintre brésilien, c'est le copain de ma tante Tina.

_____

Dans votre langue, est-ce que les noms ont un genre (masculin/féminin) comme en français ?

Il y a un genre « neutre » ? Donnez des exemples.

_____

Comment on forme le pluriel dans votre langue ? On ajoute un **–s** comme en français ? Donnez des exemples.

_____

3. POSER DES QUESTIONS

3.1 Où tu vas demain ?

Piste 24

- *Où tu vas demain ?*
- *Je vais à la fac le matin et l'après-midi, je vais à la piscine avec Marion.*
- *Et aujourd'hui, tu dînes où ? À la maison ?*
- *Non, je dîne chez Marion et après on va au cinéma.*
- *Tu prends la voiture ?*
- *Non, je prends le bus. Je préfère.*

Les verbes FAIRE, DIRE et PRENDRE

FAIRE	DIRE	PRENDRE
je fai**s**	je di**s**	je pren**ds**
tu fai**s**	tu di**s**	tu pren**ds**
il/elle fai**t**	il/elle di**t**	il/elle pren**d**
nous fai**sons**	nous di**sons**	nous pren**ons**
vous fai**tes**	vous di**tes**	vous pren**ez**
ils/elles **font**	ils/elles di**sent**	ils/elles pren**nent**

> **Je fais, tu fais, il/elle/on fait :** on entend le même son [fɛ].
> **Je dis, tu dis, il/elle/on dit :** on entend le même son [di].
> **Je prends, tu prends, il/elle/on prend :** on entend le même son [pʀɑ̃].

OÙ

Pour poser une question sur un lieu : **Où... ?**
> *Où tu vas ? Tu dînes où ? Il habite où ?*

Le verbe ALLER

je **vais**	nous all**ons**
tu **vas**	vous all**ez**
il/elle **va**	ils/elles **vont**

> C'est le seul verbe en **–er** irrégulier. Il ne se conjugue pas comme les autres !

CHEZ/À

- **Chez** + personne.
  *Je vais **chez** Alicia, **chez** les parents de Marion...*

- **Chez** + pronom tonique.
  *Je suis **chez** moi.*

- **À** + lieu.
  *Je vais **à la** fac, **à la** piscine, **à la** bibliothèque.*
  *Je vais **à l'**aéroport, **à l'**université, **à l'**hôtel.*
  *Je vais **au** cinéma, **au** théâtre, **au** concert. (**au** = **à** + **le**)*
  *Je vais **aux** Champs-Élysées. (**aux** = **à** + **les**)*

ON = NOUS

> Le sens est pluriel mais **le verbe est au singulier.**
> *On est contents.*

En français, on utilise très souvent **on** à la place de **nous**, surtout à l'oral.
> *Marion et moi, **nous allons** au cinéma. = Marion et moi, **on va** au cinéma.*

1 Écoutez et cochez ce que vous entendez.

1. ☐ vous dites   ☐ on dit   ☐ ils disent
2. ☐ je fais   ☐ elle fait   ☐ on fait
3. ☐ je vais   ☐ on va   ☐ il va
4. ☐ elle va   ☐ elles vont   ☐ ils ont
5. ☐ vous prenez   ☐ elles prennent   ☐ ils prennent
6. ☐ vous dînez   ☐ vous allez   ☐ vous dites

2 Conjuguez le verbe entre parenthèses.

1. Vous _____ (prendre) un vol direct pour Mexico ?

2. Nous _____ (être) étudiantes et

   nous _____ (habiter) à Amsterdam.

3. On _____ (aller) à la plage aujourd'hui ?

4. Comment vous _____ (s'appeler) ?

5. Qu'est-ce que vous _____ (dire) ?

3 Complétez avec le verbe qui convient. Conjuguez.

 aller   s'appeler   dire   être   faire   prendre

1. Qu'est-ce que vous _____ demain ?

2. Qu'est-ce que vous _____ ? Pouvez-vous répéter, s'il vous plaît ?

3. Nous _____ au théâtre dimanche soir.

4. Vous _____ la sœur de Maxime ?

5. On _____ la voiture ou le métro ?

6. Comment tu _____, mon petit ? Johan ou Jean ?

4 Complétez avec *à la*, *à l'*, *au*, *aux* ou *chez*.

1. On va _____ toi ou on va _____ moi ? Qu'est-ce que tu préfères ?

2. Demain, je vais _____ piscine avec Marion.

3. Elle va _____ États-Unis avec nous.

4. Dimanche, ils arrivent _____ aéroport Charles-de-Gaulle à 13 h 45.

5. Nous allons _____ théâtre demain soir.

6. Tu dînes où ? _____ maison ou _____ les parents de Marion ?

5 Complétez librement ces phrases.

Le 23 mars, nous allons   → à la _____

                             → chez _____

                             → à l'_____

                             → au _____

                             → aux _____

29

3.2 Quelle heure est-il ?

Piste 26

7 h 15 : Il se lève.
8 h 40 : Il prend le métro ligne 6.
9 h – 13 h : Il travaille. Boulot !
13 h : Il déjeune avec les collègues.
14 h – 17 h : Il travaille. Boulot !
17 h : Il part du bureau et prend le métro ligne 6.
19 h 30 : Il dîne.
23 h : Il se couche. Dodo !
Et c'est comme ça le lundi, le mardi,
le mercredi, le jeudi, le vendredi…

L'heure

Demander l'heure : **Il est quelle heure ?** ou **Quelle heure est-il ?**
Dire l'heure : **Il est**…
   Il est *trois heures vingt.*
   Il est *onze heures moins dix.*
   Il est *midi.*
   Il est *minuit.*

Heure officielle : de 0 h 00 à 23 h 59.
Heure familière : on sépare la journée en matin (à partir d'une heure du matin),
après-midi (à partir d'une heure de l'après-midi) et soir (à partir de sept heures du soir).

11 h 45	*Heure officielle : onze heures quarante-cinq*
	*Heure familière : midi **moins le quart***
15 h 30	*Heure officielle : quinze heures trente*
	*Heure familière : trois heures **et demie** de l'après-midi*
23 h 15	*Heure officielle : vingt-trois heures quinze*
	*Heure familière : onze heure **et quart** du soir*

Le présent des verbes pronominaux

SE LEVER   **S'HABILLER**

je **me** lèv**e**   je **m'**habill**e**
tu **te** lèv**es**   tu **t'**habill**es**
il/elle/on **se** lèv**e**   il/elle/on **s'**habill**e**
nous **nous** lev**ons**   nous **nous** habill**ons**
vous **vous** lev**ez**   vous **vous** habill**ez**
ils/elles **se** lèv**ent** ils/elles **s'**habill**ent**

AU/DU

Pour exprimer la destination :

- **Au (à + le)** : *Je vais **au** bureau.*
- **À + la** : *Je vais **à la** pharmacie.*
- **À + l'** : *Je vais **à l'**école.*
- **Aux (à + les)** : *Je vais **aux** États-Unis.*

Pour exprimer l'origine :

- **Du (de + le)** : *Je viens **du** bureau.*
- **De + la** : *Je viens **de la** pharmacie.*
- **De + l'** : *Je viens **de l'**école.*
- **Des (de + les)** : *Je viens **des** États-Unis.*

1 Il est quelle heure ? Écrivez de deux manières : heure officielle et heure familière comme dans l'exemple.

| 7h15 | 6h45 | 23h00 | 10h45 | 17h30 |

sept heures quinze _____ _____ _____ _____

sept heures et quart _____ _____ _____ _____

2 Conjuguez les verbes pronominaux.

1. Ils _____ (se lever) à six heures du matin.

2. Tu _____ (se coucher) à quelle heure ?

3. Nous _____ (se coucher) à minuit.

4. Vous _____ (se doucher) avant ou après le petit déjeuner ?

5. Il _____ (se lever) à midi le dimanche !

6. Je _____ (se coucher) à neuf heures et demie.

3 Complétez avec *au*, *à la*, *du*, *de la* ou *chez*.

1. Le matin, tu pars _____ travail à quelle heure ?

2. Je sors _____ maison à huit heures, je vais _____ boulangerie

   pour acheter un croissant et je prends le bus.

3. J'arrive _____ bureau à neuf heures. À midi, je déjeune _____ cantine avec mes collègues.

4. Je pars _____ bureau à cinq heures, je fais des courses et je rentre _____ moi à sept heures.

4 Associez les questions aux réponses.

1. Qu'est-ce que tu prends pour le petit déjeuner ?
2. À quelle heure tu te couches ?
3. Pardon, monsieur, quelle heure est-il ?
4. Où tu vas ?
5. Qu'est-ce que tu étudies ?
6. Vous habitez où ?
7. Tu travailles tous les jours ?
8. Qu'est-ce qu'il fait ?

A. Non, pas le lundi.
B. Au cinéma.
C. À Bordeaux.
D. Il est informaticien.
E. Un café et un croissant.
F. À minuit.
G. Il est exactement onze heures.
H. Les mathématiques.

1	2	3	4	5	6	7	8

3.3 On part quel jour et à quelle heure ?

> Salut ! On va à la campagne vendredi. Tu viens ?

> Oui, je veux bien. On part quel jour et à quelle heure ?

> On part vendredi à cinq heures et on revient lundi. On ne travaille pas le lundi. Et toi ?

> Moi non plus. D'accord, je viens avec vous.

Les verbes VENIR, PARTIR et VOULOIR

VENIR	PARTIR	VOULOIR
je vien**s**	je par**s**	je veu**x**
tu vien**s**	tu par**s**	tu veu**x**
il/elle/on vien**t**	il/elle/on par**t**	il/elle veu**t**
nous ven**ons**	nous part**ons**	nous voul**ons**
vous ven**ez**	vous part**ez**	vous voul**ez**
ils/elles vienn**ent**	ils/elles part**ent**	ils/elles veul**ent**

> **Je viens, tu viens, il/elle/on vient :** on entend le même son [vjɛ̃].
> **Je pars, tu pars, il/elle/on part :** on entend le même son [par].
> **Je veux, tu veux, il/elle/on veut :** on entend le même son [vø].

Poser une question sur le temps

- **Quand**
  *Tu viens **quand** ? On part **quand** ? Tu te maries **quand** ?*

- **Quel(s) jour(s)**
  *Tu travailles **quels jours** ? On part **quel jour** ?*

- **À quelle heure**
  *Le film est **à quelle heure** ? Vous vous couchez **à quelle heure** ?*

Les jours de la semaine

Lundi, mardi, mercredi, jeudi et vendredi.
Samedi et dimanche (le week-end).
Remarque : les jours de la semaine sont masculins : le lundi, le mardi...

> **Le** lundi
> = **tous les** lundis
> *Je ne travaille pas le lundi.*

MOI AUSSI / MOI NON PLUS

Si la première phrase est positive, on utilise **moi aussi**.
Si la première phrase est négative, on utilise **moi non plus**.

> – *J'adore l'hiver.*
> – ***Moi aussi.*** (J'adore l'hiver aussi.)

> – *Je travaille le lundi.*
> – ***Moi aussi.*** (Je travaille aussi le lundi.)

> – *Je n'aime pas l'hiver.*
> – ***Moi non plus.*** (Je n'aime pas non plus l'hiver.)

> – *Je ne travaille pas le lundi.*
> – ***Moi non plus.*** (Je ne travaille pas non plus le lundi.)

1 **Écoutez et cochez la bonne question.**

1. ☐ Ils partent à quelle heure ?   ☐ Ils partent quand ?   ☐ Ils partent où ?
2. ☐ Ils partent où ?   ☐ Ils partent quand ?   ☐ Ils partent chez qui ?
3. ☐ Ils partent combien de temps ?   ☐ Ils partent en voiture ? ☐ Ils partent à quelle heure ?
4. ☐ Qui part ?   ☐ Ils partent où ?   ☐ Ils partent quel jour ?
5. ☐ Ils arrivent à quelle heure ?   ☐ Ils partent quand ?   ☐ Ils arrivent quel jour ?

2 **Complétez avec les terminaisons des verbes.**

1. – Tu veu_____ venir avec nous en Bretagne ?

   – D'accord, je veu_____ bien !

2. – Pour aller à l'université, elle pren_____ le métro ?

   – Oui. Moi, je pren_____ le bus, je préfère.

3. – Vous par_____ à quelle heure ?

   – Michaël par_____ à six heures et moi, je par_____ à huit heures.

4. – Qu'est-ce que tu fai_____ ?

   – Je va_____ chez Carole. Nous all_____ travailler.

5. – Vous travaill_____ le dimanche ?

   – Non, on ne travaill_____ pas le week-end.

6. – Ils ne veu_____ pas dîner avec nous aujourd'hui ?

   – Non, ils préfèr_____ venir demain.

3 *Partir, arriver, aller* ou *venir* ? **Choisissez et conjuguez le verbe.**

1. Vanessa, on _____ au cinéma ce soir. Tu _____ avec nous ?

2. Vite, vite ! Le train _____ dans deux minutes !

3. – Tu _____ chez moi demain ?

   – Non, impossible ! Je _____ au théâtre avec François.

4. – On _____ au restaurant ?

   – Bonne idée ! On y _____ à quelle heure ?

   – Huit heures, ça va ?

   – Oui.

5. On _____ de Paris à neuf heures du matin et on _____ à Bordeaux à midi.

4 *Moi aussi* ou *Moi non plus* ? **Cochez la bonne réponse.**

	– Moi aussi.	– Moi non plus.
1. – Elle déteste la plage.		
2. – Elle n'aime pas la plage.		
3. – J'adore le foot.		
4. – Je ne connais pas les parents de Léo.		

3.4 Elle est comment ?

Piste 28

- *Matt a une nouvelle copine !*
- *Qu'est-ce que tu dis ? C'est vrai ? Elle s'appelle comment ?*
- *Samira.*
- *Elle est comment ?*
- *Grande, brune, assez jolie...*
- *Qu'est-ce qu'elle fait ?*
- *Elle est médecin aussi. Ils partent demain en Corse.*
- *Ah, c'est beau, la Corse ! Ils partent comment ?*
En bateau ou en avion ?

La question totale

C'est une question à laquelle on répond par **oui** ou par **non**.
On peut poser une question totale :

- par **intonation**.
  Vous aimez Brahms ?

- avec **Est-ce que**.
  Est-ce que vous aimez Brahms ?

- par **inversion du sujet et du verbe** : on utilise souvent cette manière pour poser une question à l'écrit.
  Aimez-vous Brahms ?

Cette interrogation par inversion sujet-verbe est aussi possible avec l'interrogation partielle.
  Qui êtes-vous ?   *Quand partons-nous ?*   *Comment est-elle ?*

La question partielle

QU'EST-CE QUE... ?

▶ 2.4 **L'interrogation**
p. 94

On utilise **Qu'est-ce que** pour poser une question
sur l'objet d'un verbe.

- *Qu'est-ce que tu veux ?*
- *Je veux partir en Corse avec Samira et Matt.*

- *Qu'est-ce que tu fais demain ?*
- *Demain, je travaille.*

- *Qu'est-ce que tu dis ? Répète !*
- *Matt a une nouvelle copine !*

> **Est-ce que... ?**
> ≠ **Qu'est-ce que... ?**
>
> **Est-ce que... ?** = question fermée.
> Réponse : **oui, non, je ne sais pas**...
>
> **Qu'est-ce que... ?** = question ouverte,
> on ne peut pas répondre par **oui** ou **non**.

COMMENT... ?

On utilise **Comment** pour :

- demander des informations sur le nom.
  Comment elle s'appelle ?

- demander des informations sur les caractéristiques physiques de quelqu'un.
  Comment elle est ? Grande ? Jolie ?

- demander des informations sur le caractère de quelqu'un.
  Comment elle est ? Sympa ?

- demander des informations sur la manière, le moyen.
  Comment ils partent ? En bateau ?

> **Comment** peut se placer au début ou à la fin de la phrase.
>
> *Comment elle est ?*
> ou *Elle est comment ?*

1 Vous entendez *Est-ce que...* ? ou *Qu'est-ce que...* ? Cochez la bonne réponse.

	1.	2.	3.	4.	5.	6.
Est-ce que... ?						
Qu'est-ce que...?						

2 Écoutez et cochez.

	1.	2.	3.	4.	5.	6.	7.	8.	9.	10.
Affirmation										
Interrogation										

3 Associez les questions aux réponses.

1. Tu pars quand ?
2. Elle est comment ?
3. Il est quelle heure ?
4. Vous passez par où pour aller à Venise ?
5. Tu as quel âge ?
6. On est quel jour aujourd'hui ?
7. Vous partez comment ?
8. Où vous habitez exactement ?

A. Il est exactement 13h34.
B. Dix-huit ans et demi.
C. Par Milan ou Turin.
D. Nous sommes mardi, le 12 avril.
E. 12 rue Denis Papin, à Nanterre.
F. Dimanche à huit heures.
G. Sympa, jolie et intelligente.
H. Par le train, je déteste l'avion.

1	2	3	4	5	6	7	8

4 Posez la question qui convient.

Est-ce que... ? Comment... ? (x2) À quelle heure... ? Qu'est-ce que... ? Avec qui... ? Chez qui... ?

1. – _____ ?

– Ça va très bien, merci. Et toi ?

2. – _____ ?

– Avec Paola. Tu viens avec nous ?

3. – _____ ?

– Je vais au cinéma.

4. – _____ ?

– Elle est sympa et très jolie.

5. – _____ ?

– Chez mes copains de Venise.

6. – _____ ?

– 22 h 30. Et on arrive à huit heures du matin.

7. – _____ ?

– Non, pas avec Paola. Avec Vanessa.

1 Lisez ce texte, faites le calcul et donnez le résultat.

Nathalie travaille de neuf heures à une heure moins le quart et de trois heures moins le quart à six heures tous les jours mais pas le week-end. Elle travaille combien d'heures par semaine ?

_____

2 C'est une interrogation totale (vous pouvez répondre par oui ou non) ou une interrogation partielle ?

	Interrogation totale	Interrogation partielle
1. Est-ce que vous aimez le handball ?		
2. Il est quelle heure, s'il vous plaît ?		
3. Tu t'appelles comment ?		
4. Tes enfants sont à l'école ?		
5. Le film passe dans quel cinéma ?		
6. Vous avez rendez-vous avec qui ?		
7. Qui est-ce ?		
8. Qu'est-ce que c'est ?		
9. Tu l'aimes vraiment ?		
10. Où on va ce soir ?		
11. Tu la trouves comment ?		
12. Vous allez bien ?		

3 Associez les questions aux réponses.

1. Qu'est-ce que c'est ?
2. Tu pars où ?
3. Tu pars comment ?
4. Tu es content ?
5. Le vol est à quelle heure ?
6. Tu pars quand ?
7. Tu rentres quand ?
8. Tu vas chez qui, au Vietnam ?
9. Le vol est très long, non ?
10. Tu pars de quel aéroport ?
11. Est-ce que c'est un vol direct ?
12. Tu pars avec qui ?

A. Samedi matin.
B. Au Vietnam.
C. Non. On change à Hong-Kong.
D. Je pars tout seul.
E. En avion, bien sûr ! Avec Air China.
F. Mon billet d'avion !
G. Chez ma cousine.
H. Oui, très, j'adore le Vietnam !
I. À 10 h 45.
J. Dans trois semaines.
K. De l'aéroport de Genève.
L. Oui, il y a 16 ou 17 heures de vol.

1	2	3	4	5	6	7	8	9	10	11	12

ET CHEZ VOUS ?

Dans votre langue, est-ce qu'il y a un signe pour marquer l'interrogation à l'écrit (comme par exemple le point d'interrogation ?) ? Sinon, comment se marque la forme interrogative à l'écrit ?

_____

_____

4. CARACTÉRISER ET DÉCRIRE

4.1 Ma voiture est belle, rapide et sportive

À VENDRE UN BEAU VELO NOIR
ET UNE GRANDE VALISE NEUVE !

▶ **2.4 Le genre et le nombre des adjectifs** p. 24

Masculin et féminin des adjectifs

Quelques cas particuliers de la formation du féminin.

- On double la consonne finale et on ajoute un –**e**.

Il est gros.	→	*Elle est gro**ss**e.*
*Il est brésilie**n**.*	→	*Elle est brésilie**nne**.*
*Un bon vi**n***	→	*Une bo**nne** bière*
*Un geste nature**l***	→	*Une eau nature**lle***

Ce n'est pas toujours vrai :

*Il est bru**n**, elle est bru**ne**.*

*L'an procha**in**, l'année procha**ine**.*

- Les adjectifs masculins en –**er** ou en –**ier** prennent un accent au féminin.

  *Lég**er** → Lég**ère***   *Premi**er** → Premi**ère***

- Les adjectifs masculins en –**eur** font leur féminin en –**euse**.

  *Il est travaill**eur**.* → *Elle est travaill**euse**.*

- Les adjectifs masculins en –**teur** font leur féminin en –**teuse** ou en –**trice**.

  *Ment**eur** → Ment**euse***   *Créa**teur** → Créa**trice***

Cas particuliers :

beau	→ belle
nouveau	→ nouvelle
fou	→ folle
vieux	→ vieille
grec	→ grecque
turc	→ turque
roux	→ rousse
doux	→ douce
jaloux	→ jalouse…

- Les adjectifs masculins en –**eux** font leur féminin en –**euse**.

  *Il est heur**eux**.* → *Elle est heur**euse**.*

- Les adjectifs masculins en –**f** font leur féminin en –**ve**.

  *Il est sporti**f**. → Elle est sporti**ve**.*   *Il est acti**f**. → Elle est acti**ve**.*

Singulier et pluriel des adjectifs

Si l'adjectif masculin singulier se termine par –**al** ou –**au**, le pluriel se termine presque toujours en –**aux**.

  *Un problème internation**al** → Des problèmes internation**aux***
  *Il est be**au**. → Ils sont be**aux**.*

- Au pluriel, les adjectifs féminins sont réguliers, on leur ajoute un –**s**.

  *Elles sont bell**es**, rouss**es**, intelligent**es**…*

1 Vous entendez un masculin, un féminin ou on ne sait pas ? Cochez la bonne réponse.

	1.	2.	3.	4.	5.	6.	7.	8.	9.	10.	11.	12.
Masculin												
Féminin												
On ne sait pas												

2 Complétez avec la bonne terminaison.

1. Ils sont très acti____, très sporti____.

2. Elisa est une joli____ fille blond____.

3. Il a les yeux brun____ ou bleu____ ?

4. Ce sont des informations essentiel____.

5. Ils sont françai____ ou italien____ ?

6. Les voisines du premi____ étage sont grec____ ou tur____ ?

3 Mettez ces phrases au féminin.

1. Il est doux et gentil, mais pas très actif !

   Elle _____.

2. C'est un grand problème national.

   C'est une _____ question _____.

3. C'est un vieux port grec.

   C'est une _____ ville _____.

4. C'est un beau projet, mais complètement fou.

   C'est une _____ idée, _____.

5. Il est très travailleur, toujours premier de la classe.

   Elle _____.

4 Mettez ces phrases au pluriel.

1. Je voudrais un beau melon pas trop mûr.

   Je voudrais deux _____.

2. C'est un problème international très important.

   Ce sont _____.

3. Steve est un enfant très gai, très heureux.

   Steve et Nina sont _____.

4. Ce monument est vieux mais il est très beau.

   Ces monuments sont _____.

5. Il est très amoureux mais terriblement jaloux.

   Ils sont _____.

4.2 C'est mon copain Jules et sa sœur Olivia

C'est mon voisin Jules avec Olivia,
sa sœur, et leurs grands-parents.

Ce sont mes parents avec leur chien Youki.

L'adjectif possessif (1)

Il sert à exprimer la relation :

- de **possession**.
  *C'est **mon** ordinateur.*   *C'est **sa** nouvelle voiture.*

- de **familiarité**.
  *C'est **ta** sœur ou **ta** cousine ?*   *Ce sont **tes** parents ?*

Il est toujours placé avant le nom (comme l'article).
*C'est **ton** frère ?*

Il s'accorde avec le nom qui suit :
*C'est **un** copain.*   → *C'est **mon** copain.*
*C'est **une** copine.*   → *C'est **ma** copine.*

> Il ne s'accorde pas
> avec la personne qui
> « possède »
> (≠ anglais).
>
> *Le père de Marco* = ***son** père*
> *Le père de Jane* = ***son** père*

	singulier		pluriel	
	masculin	féminin	masculin	féminin
je	**mon** copain	**ma** copine	**mes** copains	**mes** copines
tu	**ton** copain	**ta** copine	**tes** copains	**tes** copines
il / elle	**son** copain	**sa** copine	**ses** copains	**ses** copines

Si le mot féminin commence par une voyelle ou par un **h** muet :

- **ma → mon**
  *une **idée** → **mon idée***   *une **habitude** → **mon habitude***

- **ta → ton**
  *une **université** → **ton université***   *une **histoire** → **ton histoire***

- **sa → son**
  *une **opinion** → **son opinion***   *une **humeur noire** → **son humeur noire***

> *mon ami(e)* =
> [mõnami]
>
> *mes ami(e)s* =
> [mezami]

1 Écoutez et complétez avec l'adjectif possessif que vous entendez.

– C'est _____ oncle Éric sur la photo ?

– Oui, il est avec _____ nouvelle femme et _____ bébé, Théo. _____ femme s'appelle Louise. La petite fille

blonde, c'est _____ fille, Léa. Elle habite une semaine chez _____ père et une semaine chez _____ mère.

2 Regardez l'arbre généalogique d'Enzo Petit et complétez le texte.

| Mathilde Régnier | Paul Régnier | | Georges Petit | Héloïse Petit |

| Sonia | Denis | Anne | | François |

| Pierre (10 ans) | Inès (10 ans) | Jeanne (15 ans) | Mathias (13 ans) | ENZO, MOI ! (10 ans) |

Je m'appelle Enzo et j'ai dix ans. _____ frère s'appelle Mathias et _____ sœur s'appelle Jeanne. _____ père
s'appelle François. Il n'a pas de frère, pas de sœur. _____ grand-mère s'appelle Héloïse et _____ grand-père
s'appelle Georges. _____ mère s'appelle Anne. _____ frère, _____ oncle, s'appelle Denis. Il a une femme très
gentille, Sonia. C'est _____ tante. _____ cousin Pierre et _____ cousine Inès ont dix ans, comme moi !

3 Lisez ce dialogue et complétez avec *ma, mon, ta* et *ton*.

– Tu as tout ? _____ carte d'identité ? _____ billet d'avion ?

– Attends, maman ! _____ carte d'identité, oui. Elle est là, dans _____ sac.

Et _____ billet d'avion, attends... Oui, oui, il est là, dans la poche de _____ veste.

– Tu dis au revoir à _____ père et nous allons à l'aéroport. Vite ! Tu vas manquer l'avion !

4 Complétez avec *sa, son* ou *ses*.

1. Les enfants de Pierre → _____ enfants

2. Le fils de Florence → _____ fils

3. Le chat de ma voisine → _____ chat

4. La petite sœur de Vanessa → _____ petite sœur

5. Le copain de Théo → _____ copain

6. Le cousin de Natacha → _____ cousin

5 Complétez avec le bon adjectif possessif.

1. – Paola, la Range Rover rouge, c'est _____ voiture ?

– _____ voiture ? Mais non ! Quelle idée ! Je n'ai pas de voiture. Je circule à bicyclette.

2. – Chaque année, je vais au Pays Basque voir _____ cousins germains.

– Moi, pendant les vacances, je vais toujours chez _____ grand-père, à Marseille.

3. – Tu connais bien _____ voisine du deuxième étage ?

– Oui, elle habite là depuis longtemps. Elle est sympa et _____ fille aussi. Elle va à l'école avec _____ fille.

4. – Livia oublie toujours _____ téléphone !

– Toi aussi ! Regarde ! _____ téléphone est là, dans la salle de bains !

5. – Mon frère a de la chance : _____ enfants sont beaux et gentils.

– Mais _____ enfants aussi, ils sont adorables !

4.3 C'est une très belle ville

La Suisse, c'est fantastique !
RÉALISEZ VOS ENVIES DE NATURE
ET VOS RÊVES D'ART !

Venez chez nous,
vous allez adorer
nos paysages et nos musées.

Le week-end à Berne
à partir de 310 euros
(avion + hôtel)

L'adjectif possessif (2)

Il se trouve avant le nom et sert à exprimer la relation :

- de possession.
  Vos nouvelles chaussures sont très jolies !
  C'est notre nouvelle maison.

- de familiarité.
  Ce sont leurs parents ?
  Votre fille est vraiment charmante.

> Devant une consonne,
> **leur** et **leurs** se
> prononcent de la même
> façon : *leur fille et leurs filles.*

	singulier		pluriel	
	masculin	féminin	masculin	féminin
nous	**notre** copain	**notre** copine	**nos** copains	**nos** copines
vous	**votre** copain	**votre** copine	**vos** copains	**vos** copines
ils/elles	**leur** copain	**leur** copine	**leurs** copains	**leurs** copines

Les pronoms toniques (2)

Il habite chez **moi**.
Il habite chez **toi**.
Il habite chez **lui**/chez **elle**.

Il habite chez **nous**.
Il habite chez **vous**.
Il habite chez **eux**/chez **elles**.

Nous échangeons nos maisons pendant les vacances.
***Nous**, nous allons chez **eux** et **eux**, ils viennent chez **nous**.*

C'EST + adjectif masculin singulier

On utilise **c'est** + adjectif masculin singulier pour exprimer un jugement, donner un commentaire, une appréciation.
  *La Colombie, **c'est** beau.*
  *Les plages, **c'est** magnifique !*
  *Les États-Unis, **c'est** très beau aussi. Mais les hôtels, **c'est** cher !*

1 Cochez les pronoms toniques que vous entendez.

	1.	2.	3.	4.	5.	6.	7.	8.
moi								
toi								
lui								
elle								

	1.	2.	3.	4.	5.	6.	7.	8.
nous								
vous								
eux								
elles								

2 Écoutez et cochez la phrase que vous entendez.

1. ↕ Ce sont leurs amis de Bruxelles ?   ↕ Ce sont nos amis de Bruxelles.
2. ↕ Où sont nos enfants ?   ↕ Où sont vos enfants ?
3. ↕ Ils vont à l'école avec leurs copains.   ↕ Il va à l'école avec ses copains.
4. ↕ Tu connais mes grands-parents ?   ↕ Il connaît tes grands-parents ?
5. ↕ Nous partons avec notre fille.   ↕ Nous partons avec nos filles.
6. ↕ Tu as tes billets ?   ↕ Tu as nos billets ?

3 Associez les questions aux réponses.

1. Les enfants, c'est votre ballon, là, dans la cour ?
2. Cette belle voiture blanche, c'est leur voiture ?
3. Béatrice, c'est ton livre, n'est-ce pas ?
4. Pardon, monsieur, ce sont vos clés de voiture ?
5. Les lettres sont pour les voisins ?

A. Oui, il est à moi
B. Oui, elle sont pour eux.
C. Oui, elle est à eux.
D. Non, il n'est pas à nous.
E. Non, elles ne sont pas à moi.

1	2	3	4	5

4 Complétez avec *notre, nos / votre, vos / leur, leurs*.

1. – Pardon, monsieur, c'est _____ voiture, la Peugeot grise devant ?

   – Non, moi, je n'ai pas de voiture.

2. – Chaque année, nous allons au Pays Basque voir _____ cousins germains.

   – Nous, pendant les vacances, nous allons toujours chez _____ grands-parents, à Marseille.

3. – Vous connaissez bien _____ voisins du 2ᵉ étage ?

   – Oui, ils sont très sympathiques et _____ enfants aussi ! Ils vont à l'école avec _____ filles.

4. – Ils invitent _____ amis à _____ fête d'anniversaire de mariage.

5. – Venez nous rendre visite. Voici _____ adresse.

5 Complétez avec *il est* ou *c'est*.

1. – Ce gâteau est délicieux.

   – Tu as raison, _____ délicieux

2. – J'aime bien le thé à la menthe et en plus, _____ rafraîchissant.

3. – Le vol et deux nuits d'hôtel pour 350 euros ! Ça va ?

   – _____ cher, je trouve.

4. – Regarde l'arc-en-ciel !

   – Oh ! _____ beau !

4.4 Non, je ne connais pas cet homme

AVIS DE RECHERCHE

VOUS CONNAISSEZ CET HOMME ?

SA FAMILLE LE RECHERCHE

Appelez ce numéro : Tél. 08 45 45 45 00

Le verbe CONNAÎTRE

je conna**is** [kɔnɛ]
tu conna**is** [kɔnɛ]
il/elle conna**ît** [kɔnɛ]

nous conna**issons** [kɔnesɔ̃]
vous conna**issez** [kɔnese]
ils/elles conna**issent** [kɔnɛs]

L'adjectif démonstratif

Il est toujours placé avant le nom et il sert à :

- « montrer » ou désigner une personne ou une chose présente.
  *Regarde **cette** petite fille, elle est adorable !*

- reprendre un mot, une idée, une entité déjà présentés.
  Tu connais Les 400 coups *de François Truffaut ? J'adore **ce** film !*
  *La situation économique est grave et le gouvernement essaie de résoudre **ce** problème.*

- désigner un moment actuel ou proche dans le temps (futur ou passé).
  *Vous allez à la piscine **ce** matin ?* (= aujourd'hui, le matin)
  *Vous partez en vacances **cet** été ?* (= l'été prochain)
  *Je suis arrivée à Paris **cet** hiver.* (= l'hiver dernier)

> Ne confondez pas **ses**
> (*Il aide **ses** copains*),
> **ces** (*Regarde **ces** gens !*)
> et **c'est** (*Allô, **c'est** toi,
> François ?*) : ils se prononcent
> tous les trois [se].

Il s'accorde avec le nom :

	masculin	féminin
singulier	*ce* film, *ce* garçon	*cette* fille, *cette* question
pluriel	*ces* films, *ces* garçons, *ces* filles, *ces* questions	

Devant une voyelle ou un **h** muet, **ce → cet**.

- **un → cet**
    *un **a**mi* → *cet **a**mi*

- **une → cette**
    *une **u**niversité* → *cette **u**niversité*

- **l' + nom masculin → cet**
    l'hiver → *cet hiver*

> **Cet** et **cette** se
> prononcent [sɛt].

1 Vous entendez *ce* ou *ces* ? Cochez la bonne réponse.

	1.	2.	3.	4.	5.	6.
ce						
ces						

2 Vous entendez un masculin, un féminin ou on ne sait pas ? Cochez la bonne réponse.

	1.	2.	3.	4.	5.	6.
Masculin						
Féminin						
On ne sait pas						

3 Complétez avec *ce*, *cet*, *cette* ou *ces*.

1. Vous connaissez _____ magasin ?

2. _____ étudiants sont italiens et _____ étudiantes sont polonaises.

3. Qu'est-ce que tu fais _____ hiver ? Tu vas au ski ?

4. À qui est _____ voiture ? Elle est à vous, monsieur ?

5. On achète _____ appartement ou _____ maison ?

4 Complétez avec *c'est*, *ces* ou *ses*.

1. Pierre a trois enfants : _____ fils ont dix et douze ans et la petite a un an.

2. Je voudrais essayer _____ chaussures noires, s'il vous plaît.

3. _____ Paul, mon nouveau copain. Il habite avec _____ parents, à Strasbourg.

4. Je connais bien Ivana mais je ne connais pas _____ amis.

5. La géographie, _____ très intéressant.

5 Complétez avec les verbes *aller*, *avoir*, *connaître*, *dire*, *être*, *venir*, *vouloir*, *prendre* et conjuguez.

1. – Bonjour. Qu'est-ce que vous _____ ?

   – Un café, s'il vous plaît.

2. Nous _____ en week-end en Bretagne. Tu _____ avec nous ?

3. Est-ce que vous _____ la Bretagne ? Non ? C'est très beau !

4. Qu'est-ce que tu _____ ? Peux-tu répéter, s'il te plaît ?

5. Elles _____ très jolies, elles _____ des yeux bleus magnifiques.

6. – Tu _____ un coca ?

   – Non merci, je n'aime pas ça.

1 Entourez l'adjectif possessif qui convient.

1. C'est le frère de **ma / mon / mes** copine Paula.
2. Les élèves n'aiment pas **son / nos / leur** nouveau professeur de chimie.
3. Ce sont **ma / mon / mes** parents. Ils sont jeunes sur la photo, c'est le jour de **ton / leur / leurs** mariage !
4. Regarde, c'est **mon / leurs / ses** nouvel appareil photo.
5. Martin est le meilleur copain de **sa / notre / vos** fils Brian.
6. Range **ma / vos / tes** chaussures de foot, s'il te plaît !
7. Tiens ! Voilà quelques fleurs pour **ta / ton / sa** anniversaire.
8. Je vous présente **ma / mon / votre** amie Christine.

2 Complétez avec l'adjectif démonstratif qui convient.

1. Regarde _____ voiture ! Elle est magnifique !

2. Tu connais _____ garçon depuis longtemps ?

3. Tu pars où _____ été ?

4. Je n'aime pas _____ chaussures blanches. Je préfère les noires.

5. _____ homme est bizarre. Qui c'est ?

6. Où tu vas _____ matin ? À l'université ?

7. Sa grand-mère a 100 ans _____ année !

8. _____ bijoux, ils sont chers ? Ils coûtent combien ?

3 Complétez avec l'adjectif possessif ou l'adjectif démonstratif qui convient, comme dans l'exemple.

1. Les enfants de _ton_ oncle, ce sont _____ cousins et _____ mère, c'est _____ tante.

2. Les parents des parents de Thomas, ce sont _____ grands-parents.

3. – Regarde _____ fille ! Elle est belle ! Je crois que c'est la nouvelle copine de Léo.

   – Mais non ! C'est Anne Vrin, elle est dans _____ lycée, dans la classe de _____ sœur.

   Je la connais bien. _____ copain, ce n'est pas Léo, c'est Arthur.

4. La météo annonce que _____ hiver, il va faire très froid.

ET CHEZ VOUS ?

1. Dans votre langue, comment vous traduisez :

- *C'est le fils de mes voisins.*   → _____

- *Il a vingt ans.*   → _____

2. *Ce grand **garçon**, c'est mon **fils** Patrice et cette petite **fille**, c'est ma **fille** Chloé.*
En français, il y a deux mots pour les garçons (garçon et fils) mais un seul pour les filles (fille). Et dans votre langue ?

_____

_____

_____

5. SITUER ET SE SITUER DANS L'ESPACE

5.1 L'été, on va à la plage

Piste 37

En France, on est en vacances en ce moment ?

Oui. Et au Japon ?

Non. Vous avez beaucoup de vacances ?

On a 5 ou 6 semaines.

En général, en France, qu'est-ce qu'on fait pendant les vacances ?

Ici ? L'été, on va à la plage, à la montagne ou à la campagne...

Et les Français restent en France ou ils vont à l'étranger ?

En général, ils restent en France ou en Europe : ils vont en Espagne (aux îles Baléares, par exemple), en Italie, au Portugal, en Grèce...

Les prépositions de lieu (1)

▶ 1.2 **Habiter, travailler, étudier + à + ville** p. 10

Pour dire le pays ou le lieu où l'on va, on utilise :

- **en** + nom de pays féminin.
  *J'habite **en** France (la France).*

- **en** + nom de pays masculin commençant par une voyelle.
  *Je pars **en** Iran (l'Iran).*

▶ 3.1 **Chez/à** p. 28

- **à** + nom de ville.
  *Ils habitent **à** New-York ou **à** Boston ?*
  *Ils partent en vacances **à** Paris.*

- **à** + certains pays : Cuba, Madagascar, Chypre, Panama.
  *Je vais **à** Chypre.*

- **au** + nom de pays masculin qui commence par une consonne.
  *Ils sont **au** Brésil (le Brésil). Ils vont **au** Portugal (le Portugal).*

- **aux** + nom de pays pluriel.
  *Ils vont **aux** îles Baléares, **aux** États-Unis.*

- **à la, à l', au** ou **aux** + nom.
  *Ils vont **à la** plage. Ils vont **à l'**aéroport. Ils vont **au** cinéma.*

> Les noms de pays qui se terminent par **–e** sont généralement féminins : *la Bolivie, **la** Suède, **la** Thaïlande...*
> Sauf : *le Mexique, le Cambodge...*
> Les autres noms de pays sont masculins : *le Canada, le Kenya, **le** Rwanda, **le** Japon, **le** Pérou...*

ON = les gens

▶ 3.1 **On = nous** p. 28

On : les gens, en général.
*En France, **on** part en vacances au mois d'août. **On** va à la plage.*
= En France, les gens partent en vacances au mois d'août. Les gens partent à la plage.

Avec **on**, le verbe est toujours au singulier.

1 Écoutez. Vous entendez *au(x)* ou *en* ? Cochez la bonne réponse.

	1.	2.	3.	4.	5.	6.
au/aux						
en						

2 Écoutez et répondez. Utilisez la bonne préposition devant les noms de pays (*en*, *au* ou *aux*).

le Pérou   la France   le Japon   les États-Unis   la Chine   l'Angleterre

1. Je suis _____ .

2. Ils sont _____ .

3. Je suis _____ .

4. Elle est _____ .

5. Nous sommes _____ .

6. Elles sont _____ .

3 Complétez comme dans l'exemple.

Paris est _____*en France*_____ .

1. Copenhague est _____ .

2. Tokyo est _____ .

3. San Francisco est _____ .

4. Ottawa est _____ .

5. Marrakech est _____ .

6. Zürich est _____ .

4 Complétez avec un article (*l'*, *le*, *la*, *les*) ou une préposition (*à*, *en*, *au*, *aux*).

1. – Vous connaissez _____ Suède ?

   – Non, mais j'habite _____ Danemark. Vous connaissez _____ Danemark ?

2. – Vous parlez bien français ! Vous habitez _____ France ?

   – Non, j'habite _____ Mexique, _____ Guadalajara. Mais ma mère est française. Alors, je vais

   souvent _____ Toulouse voir mes grands-parents. Et je vais souvent _____ Espagne.

   J'adore _____ Espagne ! Pas vous ? Vous connaissez ?

   – Je connais très bien _____ îles Baléares, je vais souvent _____ Palma. Et l'été prochain,

   je vais _____ îles Canaries, pour changer.

5 Complétez avec *on*, *nous* ou *les gens*.

1. _____ sommes suisses, _____ habitons à Genève.

2. Avec ma copine Ella, _____ va souvent au cinéma le mercredi après-midi.

3. En France, _____ fument beaucoup ?

4. Souvent, au mois d'août, _____ ne travaillent pas, ils sont en vacances.

5. _____ partons en Italie cet été. Vous venez avec nous ?

6. Au Brésil, _____ parle espagnol ou portugais ?

5.2 D'où ils viennent ? Du Pérou !

Piste 40

ILS SONT BEAUX MES AVOCATS, ILS VIENNENT DIRECTEMENT DU PÉROU !

AVOCATS : 3€ les deux
ORIGINE : Pérou

Les prépositions de lieu (2)

Pour dire le **pays** d'où on vient ou l'origine :

- **de** + nom de pays féminin.
  *Athena vient **de** Grèce.*

- **d'** + nom féminin ou masculin qui commence par une voyelle.
  *Noura vient **d'**Irak.*
  *Du risotto **d'**Italie.*

- **du** + nom de pays masculin commençant par une consonne.
  *Des avocats **du** Pérou. Alix et Peter viennent **du** Canada.*

- **des** + nom de pays au pluriel.
  *Anne-Marie vient **des** Pays-Bas.*
  *Un jean **des** États-Unis.*

Pour dire la **ville** d'où on vient :

- **de** ou **d'** + nom de ville.
  *Tu arrives **de** Bruxelles ou **d'**Anvers ?*

Pour exprimer la provenance en général :

- **de la**, **de l'** ou **du** + nom.
  *Ils arrivent **de la** piscine. Elle vient **de l'**aéroport. Camille arrive **du** lycée.*

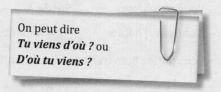

On peut dire
Tu viens d'où ? ou
D'où tu viens ?

1 Vous entendez *de*, *du* ou *des* ? Complétez.

Greg est français. Il vient _____ Lyon. Cette année, il est étudiant à Montréal. Il a beaucoup d'amis étrangers :

Helmut vient _____ Danemark, Julie arrive _____ Belgique, Paolo vient _____ Palerme, en Sicile. Et son ami

Peter arrive _____ États-Unis.

2 Continuez le texte.

Il y a des fruits de tous les pays. Les ananas viennent du Brésil, _____

_____

_____

3 Complétez avec *d'*, *de*, *du* ou *des*.

1. Il arrive _____ Philippines.

2. Vous venez _____ quel pays ? _____ Chili ?

3. Tu as un petit accent. Tu viens _____ où ? _____ Marseille ?

4. Vous venez _____ supermarché ?

5. Nora a un très beau kimono. Il vient _____ Japon.

4 Complétez avec la bonne préposition.

1. Georges habite en France mais il vient _____ Géorgie.

2. Je suis fatigué. J'arrive _____ Inde et je supporte mal le décalage horaire.

3. Il n'est pas encore rentré _____ école ?

4. D'où tu viens ? _____ bibliothèque ou _____ lycée ?

5. Xiao et ses parents viennent _____ Chine.

6. Je t'ai rapporté une bouteille de rhum _____ Antilles.

5.3 Il est sur la table ou sous la table ?

Situer dans l'espace

Le chat est **sur** la table.

Le chat est **sous** la table.

Le chat est **dans** son panier.

Le chat est **à côté** du chien.

Le chat est **entre** le grand-père **et** la grand-mère.

Le chien est **devant** l'arbre.

Le chien est **derrière** l'arbre.

Le bateau est **sur** la mer.

Le sous-marin est **dans** la mer.

Je regarde un film **à la** télévision.

1 Écoutez et complétez les phrases.

1. Pierre invite Fabrice à venir _____ lui.

2. Son appartement est _____ le 16ᵉ arrondissement.

3. Fabrice descend _____ métro Javel.

4. Il passe _____ le marchand de fleurs.

5. _____ de la banque, il y a un immeuble blanc.

6. Pierre habite juste _____ cet immeuble, au n°32.

7. Il habite _____ 3ᵉ étage, à gauche.

8. Il y a un dessin de chat _____ la porte.

2 Regardez et complétez avec les bonnes prépositions.

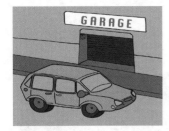

1. La voiture est _____ le garage.

2. Le chien est _____ la table.

3. Il y a deux femmes _____ une voiture.

4. Regarde, le chat est _____ la fenêtre.

5. Qu'est-ce que tu as _____ ton sac ?

6. Le chat est _____ le fauteuil.

3 Complétez avec *sur*, *devant*, *derrière* et *à côté de*.

Moi, je suis là, avec ma fille Flore _____ les genoux.

Elle est blonde comme sa mère. Sa mère, bien sûr,

c'est ma femme : elle est juste _____ moi,

et _____ elle, c'est son frère aîné, Paul. La femme de Paul,

c'est la jolie femme en blanc, elle est _____ son mari.

Le petit garçon _____ ses genoux, c'est François, leur fils.

53

5.4 Tournez à droite

Mathias joue **par terre**.

Sa trottinette est **contre** le mur.

La fenêtre est **en face** du lit.

Prenez la première rue **à gauche**.

Vous continuez **tout droit**.

La banque est **à droite.**

Suzie est **dans** la rue.
(espace fermé)

Suzie est **sur** la route.
(espace ouvert)

Suzie est **sur** la place.
(espace ouvert)

Le IL impersonnel (1)

On utilise le **il** impersonnel :

- avec **il y a**.
  Il y a beaucoup de gens dans le métro.

- pour parler du temps, de la météo.
  *Il fait beau, **il** fait chaud.*
  Il pleut.
  Il neige.
  *Il fait jour, **il** fait nuit.*

1 Écoutez. Complétez.

1. Pierre est _____ le boulevard Saint-Marcel.

2. Il est _____ numéro 55.

3. Il doit continuer _____.

4. Ensuite, il doit prendre la première rue _____.

5. Il y a un salon de coiffure _____ du boulevard Saint-Marcel et de la rue du Jura.

6. La rue du Jura donne _____ la rue Pirandello.

7. _____ la rue Pirandello, il y a une grande boulangerie.

8. Clara habite _____ numéro 32.

9. L'appartement de Clara est _____ troisième étage, à droite.

2 Ursula habite rue du Marché. Elle conduit sa fille à l'école maternelle Les Jardins. Écrivez son itinéraire.

_____

_____

_____

_____

_____

3 Quelles phrases sont à la forme impersonnelle ? Cochez les bonnes réponses.

1. ☐ Il fait très chaud ce matin.
2. ☐ Il travaille à la Banque Nationale de Grèce.
3. ☐ Il fait les courses au supermarché le samedi.
4. ☐ Il fait du sport le week-end.
5. ☐ Il y a des fruits ou un gâteau comme dessert ?
6. ☐ Il ne veut pas partir sans toi ?
7. ☐ Il fait quel temps aujourd'hui chez vous ?
8. ☐ Il pleut depuis hier soir.

On fait le point !

1 **Prépositions et noms de pays ou de villes : Complétez avec *à*, *au*, *aux* et *en* ou *d'*, *du* ou *des*.**

1. Il habite _____ Belgique et sa copine _____ Mexique. C'est difficile !

2. Arturo vient _____ Brésil et sa femme _____ Angola.

3. Je vais d'abord partir _____ Brésil et après, je vais _____ Colombie, _____ Bogota.

4. Nous arrivons _____ Philippines. Eux, ils viennent _____ Japon.

5. Après votre mariage, vous allez habiter _____ Genève ou _____ Lausanne ?

6. J'aimerais beaucoup vivre _____ Pays-Bas quelques années, _____ Amsterdam par exemple.

2 **Prépositions et noms de lieux : Complétez avec *à la*, *à l'*, *au*, *de la*, ou *du*.**

1. – On va où ? _____ cinéma ou _____ plage ?

   – _____ plage !

2. Je vais chercher Estelle _____ aéroport. Après, on va directement _____ maison.

3. – Tu arrives _____ travail ?

   – Oui et je suis fatigué !

4. – Elles travaillent tout le temps ! Elles viennent _____ laboratoire et elles vont _____ bibliothèque.

   – Moi, c'est le contraire ! Je viens _____ bibliothèque et je vais _____ laboratoire. Et vous ?

   – Nous ? C'est la belle vie ! Nous venons _____ cafétéria et nous allons _____ piscine !

3 **Utilisez les mots dans les étiquettes et les prépositions de votre choix pour décrire la photo.**

le lit   le tabouret   la lampe   la table de nuit   le tapis   la couverture   la commode

_____
_____
_____
_____
_____
_____
_____

ET CHEZ VOUS ?

En français, on dit *Il est **dans** la voiture, **dans** le bus, **dans** le train, **dans** l'avion* et *Je préfère voyager **en** voiture, **en** train, **en** bus, **en** avion*.
Et dans votre langue, on utilise quelle préposition ?

_____
_____
_____

6. DIRE DE FAIRE QUELQUE CHOSE

6.1 Il faut du chocolat, du lait, de la farine...

RECETTE FACILE : LE COULANT AU CHOCOLAT
Pour 8 personnes

Il faut :
- du lait (un verre)
- du sucre en poudre (100 grammes)
- 4 œufs
- du beurre (50 grammes)
- de la farine (120 grammes)
- du chocolat (150 grammes)

Les articles partitifs : DU, DE L', DE LA, DES

L'article partitif exprime **une partie de quelque chose**, une quantité indéterminée de quelque chose qui est impossible à dénombrer, impossible à compter.

On utilise les articles partitifs :

avec des noms de matière	avec des noms abstraits ou généraux	pour exprimer des caractéristiques
du lait	**du** sport	**du** courage
de l'eau	**de** l'humour	**de** l'énergie
de la neige	**de la** chance	**de** la patience
des céréales		

*Le matin, vous prenez **du** café ou **du** thé ?*

*Vous faites **de la** musique ou **du** cinéma ?*

– *Tu as **de la** patience avec les enfants !*
– *Et toi, tu as vraiment **du** courage avec les parents !*

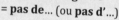

À la forme négative
= **pas de**... (ou **pas d'**...)

– *Tu veux **du** pain ?*
– *Non, merci, je ne mange **pas de** pain.*

Observez.

***Un** pain*   ***Du** pain*   ***Un** café*   ***Du** café*   ***Un** poisson*   ***Du** poisson*

IL FAUT...

Il faut... exprime l'obligation, la nécessité.

- **Il faut** + nom.
  *Pour faire un gâteau, **il faut** un moule, de la farine, du beurre...*

- **Il faut** + infinitif.
  ***Il faut** aller au supermarché.*

1 Lisez et complétez avec *du*, *de la*, *de l'* ou *des*. Ensuite, écoutez le document et vérifiez vos réponses.

– Alors, pour la tarte, qu'est-ce qu'il faut ?

– Il faut _____ farine et _____ eau pour faire la pâte. Et _____ sel, aussi.

Et puis, il faut _____ œufs, _____ beurre, _____ sucre en poudre.

Et _____ pommes, trois ou quatre belles pommes bien mûres. C'est tout.

2 Quels sont les ingrédients de la salade niçoise ? Répondez sur le modèle de l'activité 1 (Cherchez la recette sur internet). Puis faites la même chose avec un plat typique de chez vous.

_____

_____

_____

3 Complétez avec un article partitif. Cherchez les sports dans votre dictionnaire.

Les copains de Mathieu adorent le sport.

Jim fait _____   Tom fait _____   Frank fait _____   Sam fait _____

4 Complétez avec un article défini, indéfini ou partitif. Vérifiez dans votre dictionnaire le genre du mot.

1. À Cannes, il y a une belle plage avec _____ sable blanc, _____ soleil

   300 jours par an, _____ célèbre festival de cinéma en mai avec _____ célébrités partout !

2. En France, on mange _____ pain ; en Asie, les gens préfèrent manger _____ riz.

   Et en Amérique du Sud, les gens aiment bien _____ maïs.

3. Qu'est-ce que tu veux boire ? _____ vin ? _____ coca ?

   _____ verre d'eau ? ou _____ champagne ?

4. Ce soir, on mange _____ poisson avec _____ pâtes. Tu aimes ça ?

   Et demain, je vais faire _____ gros poulet avec _____ frites.

5. – Regarde par _____ fenêtre, il y a _____ neige dans _____ rue. C'est beau !

   – Oui, mais dans _____ villes, _____ neige ne reste pas longtemps.

5 Regardez le menu. Qu'est-ce qu'ils prennent ?

Entrées : **1** *Œufs mimosa* **2** *Salade de tomates* **3** *Huîtres* **4** *Champignons à la grecque*

Plats : **5** *Poisson grillé + riz* **6** *Poisson à la tomate + pâtes* **7** *Bifteck + frites + salade*

Desserts : **8** *Fromage* **9** *Gâteau au chocolat* **10** *Crème au caramel* **11** *Glace*

Marina prend **3** + **5** + **8**   Henri prend **2** + **7** + **8** + **10**

Marina prend _____

Henri préfère prendre _____

6.2 Prends un kilo de farine et du beurre

Piste 45

- *Je vais au supermarché avec Léa. Qu'est-ce que j'achète ?*
- *Prends un kilo de farine, et du beurre.*
- *Et du lait ? Il y a du lait dans le frigo ?*
- *Non. Achetez deux litres de lait. Fais une liste ou tu vas oublier ! Léa, dépêche-toi !*
- *Allez, Léa, dépêchons-nous ! Viens !*

L'impératif affirmatif

On utilise l'impératif :

- pour donner un ordre ou un conseil à quelqu'un.
  Viens vite !
  Sortez !

- pour demander à quelqu'un de faire quelque chose.
  Aide ta sœur, s'il te plaît.

L'impératif n'a pas de sujet mais il y a trois personnes : **tu**, **nous** et **vous**.
On le conjugue comme le présent.

À la fin de la phrase, on met un point d'exclamation (**!**).

> À l'impératif des verbes en **–er** : la 2e personne du singulier n'a pas de **–s** final.
>
> *Tu écoutes.* → *Écoute !*
> *Tu regardes.* → *Regarde !*

ALLER	**PARTIR**
Va au cinéma !	*Pars !*
Allons au cinéma !	*Partons !*
Allez au cinéma !	*Partez !*

FAIRE	**PRENDRE**
Fais un gâteau !	*Prends du chocolat !*
Faisons un gâteau !	*Prenons du chocolat !*
Faites un gâteau !	*Prenez du chocolat !*

⚠️

ÊTRE	**AVOIR**
Sois sage !	*Aie du courage !*
Soyons sage !	*Ayons du courage !*
Soyez sage !	*Ayez du courage !*

> Avec les verbes pronominaux !
>
> À la forme affirmative, le pronom est **après** le verbe.
>
> se dépêcher → *Dépêche-**toi** ! Dépêchons-**nous** ! Dépêchez-**vous** !*
>
> se lever → *Lève-**toi** ! Levons-**nous** ! Levez-**vous** !*

1 Écoutez et cochez les phrases à l'impératif.

	1.	2.	3.	4.	5.	6.
Impératif						

2 Associez.

1. Il fait très froid.
2. Tu as mal à la tête ?
3. Je déteste le métro !
4. Le frigo est vide !
5. Je ne vois pas bien.
6. J'ai peur dans le noir.

A. Prends le bus !
B. Mets tes lunettes !
C. Mettez votre manteau !
D. Allume la lumière !
E. Allons au restaurant !
F. Va chez le docteur !

1.	2.	3.	4.	5.	6.

3 Transformez ces phrases à l'impératif comme dans l'exemple.

Prendre le métro (tu) → *Prends le métro !*

1. Rester calme. (vous) → _____ !

2. Dire la vérité. (tu) → _____ !

3. Venir chez nous. (vous) → _____ !

4. Aller à la boulangerie. (tu) → _____ !

5. Faire les exercices 44 et 45. (vous) → _____ !

6. Prendre le train. (nous) → _____ !

7. Aller au cinéma. (vous) → _____ !

4 Conjuguez les verbes à l'impératif avec vous.

_____ (venir) en voiture, c'est plus facile. _____ (prendre) l'autoroute A61 jusqu'à Castelnaudary. _____ (sortir) à la sortie 21. _____ (aller) à gauche en direction de Castres. _____ (prendre) la D624. _____ (continuer) jusqu'à Revel. À Revel, _____ (tourner) à droite en direction de Sorèze.

5 Conjuguez les ordres que la mère de Léa donne à sa fille.

(se brosser les dents) (se lever) (s'habiller) (déjeuner) (se dépêcher) (se laver)

Allez, Léa ! Vite ! _____ et _____ !
_____ ! _____ ! _____ ! Vite ! _____ !

6.3 Et le lait, tu le vois ?

Piste 47

- *Alors... le chocolat, je l'ai. La farine, je l'ai aussi. Les œufs, je les ai... Ah ! le beurre, je ne l'ai pas. Il est là. Tu le prends, Léa ? Et le lait ! Tu le vois ?*

- *Oui, il est là. J'en prends deux litres.*

Le pronom complément d'objet direct

▶ 6.4 **L'impératif et le pronom COD**   p. 64

Le pronom COD remplace un nom de personne ou de chose.

Il est devant le verbe (sauf à l'impératif).

Le COD remplace toujours un nom déterminé :

- un nom propre.
  - *Il aime **Natacha** ?*
  - *Oui, il **l'**adore.*

- un nom introduit par un article défini.
  - *Tu regardes **la télévision** ?*
  - *Oui, je **la** regarde.*

- un nom introduit par un adjectif possessif.
  - *Vous connaissez **mon frère** ?*
  - *Non, je ne **le** connais pas.*

- un nom introduit par un adjectif démonstratif.
  - *Tu aimes **ces chaussures** ?*
  - *Oui, je **les** aime bien.*

> Devant un verbe qui commence par une voyelle ou un **h** muet :
>
> me → m'
> te → t'
> le / la → l'
>
> – *Tu **m'**aimes ?*
> – *Oui, je **t'**adore !*

Le pronom complément d'objet direct : EN (2)

> Avec les verbes *aimer, adorer, préférer* et *détester* + article défini + nom de chose, on utilise **ça** :
>
> *Le rock, il adore **ça** !*
>
> *La paella, j'aime beaucoup **ça**. Mais mon copain déteste **ça** !*

Le pronom COD **en** remplace :

- un nom introduit par un article indéfini.
  - *Tu as un chien ?*
  - *J'**en** ai un. / Je n'**en** ai pas.*
  - *Vous prenez des fruits ?*
  - *J'**en** prends. / Je n'**en** prends pas.*

- un nom introduit par un article partitif.
  - *Vous avez du pain ?*
  - *J'**en** ai. / Je n'**en** ai pas.*
  - *Vous avez de la farine ?*
  - *J'**en** ai. / Je n'**en** ai pas.*
  - *Vous avez des œufs ?*
  - *J'**en** ai. / Je n'**en** ai pas.*

- Avec **un** ou **une**, on reprend l'article indéfini (**un, une**) après le verbe.

- Avec **des**, il n'y a pas de reprise de l'article indéfini.

- À la forme négative, il n'y a pas de reprise de l'article indéfini après le verbe.

- Avec **du**, **de la** et **des**, on ne répète pas l'article partitif après le verbe.

1 Écoutez la question et cochez la réponse correcte.

1. ☐ Oui, j'en veux.   ☐ Oui, je la veux.   4. ☐ Oui, mets-le !   ☐ Oui, mets-en !

2. ☐ Oui, mets-la !   ☐ Oui, mets-en !   5. ☐ Oui, je les ai.   ☐ Oui, j'en ai.

3. ☐ Non, je ne la prends pas.   ☐ Non, je n'en prends pas.   6. ☐ Non, je ne le vois pas.   ☐ Non, je n'en vois pas.

2 Complétez avec *l'*, *le*, *la* ou *les*.

1. Marina ? Je _____ connais depuis l'école. Ses deux frères et sa mère, je _____ connais aussi.

   Mais son père, non. Je ne _____ connais pas. Il habite en Turquie.

2. – Qu'est-ce que tu achètes ? Cette veste, tu _____ prends ?

   – Non, je ne _____ prends pas. Mais regarde ce pull bleu, là, tu _____ vois ? Il est super, non ?

   – Je ne _____ vois pas. Il est où ?

3 Cochez la réponse correcte.

1. Tu as acheté des mangues ?
   ☐ Non, je n'en ai pas acheté.   ☐ Non, je n'en ai pas acheté des mangues.   ☐ Non, je n'ai pas acheté.

2. Vous faites une tarte ?
   ☐ Oui, j'en fais une.   ☐ Oui, je les fais.   ☐ Oui, je la fais.

3. Tu ne connais pas ce livre ?
   ☐ Non, je ne le connais pas.   ☐ Non, je n'en connais pas.   ☐ Non, je ne connais pas ça.

4. Tu as de la chance en général ?
   ☐ Non, je n'ai pas.   ☐ Non, je ne l'ai pas.   ☐ Non, je n'en ai pas.

5. Vous écoutez la radio le matin ?
   ☐ Oui, j'écoute tous les matins.   ☐ Oui, j'en écoute tous les matins   ☐ Oui, je l'écoute le matin.

6. Il fait froid. Tu prends ton manteau ?
   ☐ Oui, je le prends.   ☐ Oui, je le prends mon manteau.   ☐ Oui, j'en prends un.

4 Répondez en utilisant *le*, *la*, *les* ou *en*.

1. – Tu as tout ? Tu es sûr ? Tu as ton billet d'avion ?

   – Oui, _____

2. – Tu prends ton passeport ?

   – Oui, _____

3. – Et ta carte d'étudiant ?

   – Non, _____, ce n'est pas important.

4. – Et tes lunettes de soleil ?

   – Oui, _____, elles sont dans mon sac.

5. – Tu prends deux ou trois maillots de bain ?

   – _____ deux, le noir et le rouge.

6. – Tu emportes des livres ?

   – Oui, _____ trois sur le Maroc.

6.4 Le sucre, mélange-le avec les œufs !

Piste 50

- *Léa, aide-moi, s'il te plait. Prends quatre œufs et casse-les dans un bol. Ajoute le sucre. Mélange-le avec les œufs. Très bien. Il faut 100 grammes de farine. Mesure-la et ajoute-la.*
- *Je mets un peu de sel ?*
- *Mais non, n'ajoute pas de sel ! On n'en met pas dans un gâteau !*
- *Et le chocolat ?*
- *Mets-le dans une casserole avec du beurre. N'en mets pas trop ! Stop, assez !*

L'impératif négatif

L'impératif négatif est formé de **ne** + impératif + **pas**.

> *Sors !* → *Ne sors pas !*
> *Ajoute du sel !* → *N'ajoute pas de sel !*

Il exprime l'interdiction.

> *Ne mange pas de sucre, c'est mauvais pour la santé.*
> *Ne téléphonez pas quand vous conduisez.*
> *Ne sortez pas les poubelles après 9 h du matin.*

L'impératif et le pronom COD

• L'impératif affirmatif

Le pronom se place après l'impératif affirmatif.

N'oubliez pas le tiret (-) entre le verbe et le pronom.

> *Je casse **les œufs** ? Oui, casse-**les**.*
> *J'ajoute **la farine** ? Oui, ajoute-**la**.*
> *J'ajoute **du lait** ? Oui, ajoutes-**en** un peu.*
> *Je mets **du beurre** ? Oui, mets-**en**.*

> *Ajoute-le, ajoute-la, ajoute-les mais ajoutes-en.* ☺

• L'impératif négatif

Avec l'impératif négatif, attention à l'ordre des mots :
ne + pronom COD + verbe à l'impératif + **pas**.

> *Je casse les œufs ? Non, **ne les** casse **pas** !*
> *J'ajoute la farine ? Non, **ne l'**ajoute **pas** tout de suite !*
> *J'ajoute du lait ? Non, **n'en** ajoute **pas** !*

L'expression de la quantité

du sel ≠ pas de sel
un peu de sel ≠ beaucoup de sel
assez de beurre ≠ pas assez de beurre
pas assez de sucre ≠ trop de sucre

En remplace aussi un terme de quantité + un nom.
*Ils ont beaucoup d'enfants ? Oui, ils **en** ont beaucoup, ils **en** ont sept.*

On reprend les quantitatifs **un peu de...**, **beaucoup de...**, **un litre de...** après le verbe :
– *On met du sel ?*
– *Oui, on en met **un peu**.*

1 Écoutez. Cochez ce que vous entendez.

1. ☐ Attention, ne le casse pas ! ☐ Attention, ne les casse pas !
2. ☐ Ne mets pas de sel ! ☐ Ne mettez pas le sel !
3. ☐ Ne sortez pas de la maison ! ☐ Ne sortons pas de la maison !
4. ☐ Ajoutes-en un peu ! ☐ Ajoutez-en un peu !
5. ☐ Ne les mange pas ! ☐ N'en mange pas !
6. ☐ Ne le prends pas ! ☐ N'en prends pas !

2 Écoutez la question. Cochez la réponse qui correspond.

1. ☐ Prends-en quatre. ☐ Oui, prends-les.
2. ☐ Non, n'en mets pas. ☐ Oui, mets-les.
3. ☐ Oui, mets-en 100 grammes. ☐ Non, ne la mets pas.
4. ☐ Non, ne la prends pas. ☐ Non, n'en prends pas.
5. ☐ Non, ne les jette pas. ☐ Non, ne le jette pas.
6. ☐ Oui, je le veux bien. ☐ Oui, j'en veux bien.

3 Répondez avec un impératif et un complément d'objet direct *le*, *la*, *les*.

1. – Je prends la farine ?

 – Oui, _____ !

2. – Je casse les œufs ?

 – Oui, s'il te plaît, _____ dans un bol.

3. – Et après, j'ajoute le sucre ?

 – Oui, très bien ! _____ !

4. – Je mélange le chocolat et le beurre ?

 – Oui, _____ dans la casserole.

5. – Je prends quelle casserole ? La noire ?

 – Oui, _____ !

4 Répondez en utilisant *en* et le terme de quantité entre parenthèses.

1. – Vous voulez du sucre ?

 – Oui, _____ (un kilo)

2. – Ils ont des enfants ?

 – Oui, _____ (trois)

3. – Il faut mettre du sel dans le gâteau ?

 – Oui, _____ (un peu)

4. – Ils ont de la patience avec les enfants ?

 – Oui, _____ (beaucoup)

5. – Il y a du lait ?

 – Oui, ça va, _____ (assez)

1 Dans les phrases suivantes, il s'agit d'un ordre, d'une suggestion (proposition) ou d'un conseil ? Cochez la bonne réponse.

	Ordre	Suggestion	Conseil
1. Allez, travaille !			
2. Allons dîner au restaurant !			
3. Tu es fatigué. Va voir le médecin !			
4. Sortez immédiatement !			
5. Avant de faire ton exposé, respire fort !			
6. J'ai une idée : venez dîner à la maison demain !			

2 Complétez avec un article défini, un article indéfini ou un article partitif.

1. Si vous voulez manger _____ bonne viande, allez dîner chez *L'ami Louis*.

2. Je n'aime pas _____ viande rouge, je préfère _____ poisson ou _____ poulet.

3. – Regarde dans le frigo. Il reste _____ beurre ?

   – Non, il y a _____ crème et _____ œufs mais pas _____ beurre !

4. Qu'est-ce que j'achète pour Léonie ? _____ poisson exotique pour son aquarium ?

5. Ne prends pas _____ train de 17 h 30, il s'arrête partout.

   Il y a _____ autre train plus rapide à 18 h 10.

6. On dit que _____ beurre de Normandie est excellent.

7. Je voudrais _____ beau poulet de 2 kilos, s'il vous plaît.

8. Dans ta salade, tu mets _____ olives noires ?

3 On parle de quoi ? Cochez la bonne réponse.

1. Je les connais très bien.	☐ les frères de Léa	☐ un ami italien	☐ des amis de Léa
2. Non, je n'en veux pas.	☐ ce livre	☐ du café	☐ ton DVD
3. Vous en voulez un ?	☐ du sucre	☐ un café	☐ mon livre
4. Je ne le mets pas souvent.	☐ des chaussures	☐ ma veste	☐ ce pull
5. Oui, je la prends.	☐ la voiture	☐ le bus	☐ mon vélo

ET CHEZ VOUS ?

1. En français, pour dire à quelqu'un de faire quelque chose, on utilise l'impératif mais c'est un peu autoritaire, un peu impoli. Alors, on ajoute très souvent : *s'il te plaît* ou *s'il vous plaît*. Et chez vous ?

_____

2. Dans votre langue, il y a un mot qui correspond à l'article partitif ? Comment traduisez-vous la différence entre : *il mange un poulet* (un poulet entier) et *il mange du poulet* (un morceau de poulet) ?

_____

7. SE SITUER DANS LE TEMPS : LE FUTUR

7.1 Demande-lui quand il va partir

UNE JOURNÉE À LA MER !

Beaucoup d'enfants de la région Île-de-France ne partent pas en vacances. Avec le **Secours populaire français**, OFFRONS-LEUR UNE JOURNÉE À LA MER !

Le 28 août, le Secours populaire va emmener 5 000 enfants sur les plages normandes. Ils vont se baigner, ils vont jouer et ils vont pique-niquer au bord de la mer !

Le futur proche

On utilise le futur proche pour exprimer :

- une action immédiate.
    Attention ! Tu vas tomber.

- une action très proche dans le temps ou proche dans l'esprit du locuteur.
    Dimanche, on va aller à la plage.
    L'année prochaine, je vais partir à Berlin.

> Pour indiquer une date :
> *Demain, on va être **le 18 mars 2014**.*

On le conjugue avec le verbe **aller** au présent + l'infinitif du verbe.

*Je **vais faire** les courses.*   *Nous **allons faire** les courses.*
*Tu **vas faire** les courses.*   *Vous **allez faire** les courses.*
*Il/Elle/On **va faire** les courses.*   *Ils/Elles **vont faire** les courses.*

Le pronom complément d'objet indirect (COI)

▶ 4.3 Les pronoms toniques (2)   p.44

Ce pronom remplace toujours des noms de **personnes**.
Le verbe qui suit :

- se construit obligatoirement avec la préposition **à**.

- est un verbe de « communication »
    (il y a un contact entre deux personnes).
    *Je parle **à Éric**.*   → *Je **lui** parle.*
    *J'écris **à Julie**.*   → *Je **lui** écris.*
    *Je téléphone **à Marco**.*   → *Je **lui** téléphone.*

> Les pronoms COI **lui** et **leur** sont masculins ou féminins.
> *Je parle **à John**.* → *Je **lui** parle.*
> *Je parle **à Clara**.* → *Je **lui** parle.*

- verbes non communicatifs se construisent aussi avec un COI.

    Ressembler à quelqu'un.
    – C'est **ton** père ?
    – Tu **lui** ressemble beaucoup

    Plaire à quelqu'un.
    – **Elle** n'aime pas l'opéra.
    – Ça ne **lui** plaît pas.

1 Écoutez et cochez le temps que vous entendez.

	1.	2.	3.	4.	5.	6.	7.	8.	9.	10.	11.	12.
Présent												
Futur proche												

2 Transformez ces phrases au futur proche comme dans l'exemple.

Tu prends le bus ? → *Tu vas prendre le bus ?*

1. Nous partons dimanche. → _____

2. Vous travaillez dans quelle entreprise ? → _____

3. Patricia vient chez nous cet été. → _____

4. Elles se lèvent à huit heures. → _____

3 Écoutez les questions. Cochez la réponse qui correspond.

1. ☐ Oui, je lui parle souvent.   ☐ Oui, je leur parle un peu.
2. ☐ Oui, je la rencontre tous les jours.   ☐ Non, je ne les connais pas.
3. ☐ Je leur réponds, bien sûr !   ☐ Je lui réponds, bien sûr !
4. ☐ Non, je ne lui ressemble pas du tout !   ☐ Non, je ne leur ressemble pas du tout !
5. ☐ Je pense souvent à lui mais je ne lui écris pas.   ☐ Je pense souvent à eux mais je ne leur écris pas.

4 Mettez les mots en ordre pour faire des phrases.

1. veux – son – pour – offrir – un – joli – lui – anniversaire – Je – cadeau

   Je _____ anniversaire.

2. ne – répondre – aujourd'hui – pas – Tu – peux – leur

   Tu _____ aujourd'hui ?

3. ne – problèmes – veut – ses – pas – Elle – raconter – me

   Elle _____ problèmes.

4. Il – pas – téléphoner – très – nous – ne – souvent – peut

   Il _____ souvent.

5 Répondez aux questions comme dans l'exemple.

– Tu téléphones à mon frère ?

– Non, pas maintenant, *je lui téléphone* ce soir.

1. – Il va écrire à ses propriétaires ?

   – Oui, _____

2. – Vous pouvez répondre à madame Brun, s'il vous plaît ?

   – Pas de problème ! _____ immédiatement !

7.2 Un jour, tu verras, tout sera différent !

Ah, tu verras, tu verras,
Tout recommencera, tu verras, tu verras,
L'amour c'est fait pour ça, tu verras, tu verras...

Claude Nougaro, *Tu verras* (1978)

L'emploi du futur simple

On utilise le futur simple pour exprimer une action dans l'avenir.
  En 2050, il y aura 10 milliards d'habitants sur la Terre.
  Demain, vous viendrez à 8 h 30 et non à 9 h.

La formation du futur simple

• Quand les verbes se terminent par **–r**
  (**chanter**, **travailler**, **partir**, **finir**, **sortir**...) :
  on prend l'infinitif + **–ai, –as, –a, –ons, –ez, –ont**.

TRAVAILLER	FINIR
je travailler**ai**	je finir**ai**
tu travailler**as**	tu finir**as**
il/elle/on travailler**a**	il/elle/on finir**a**
nous travailler**ons**	nous finir**ons**
vous travailler**ez**	vous finir**ez**
ils/elles travailler**ont**	ils/elles finir**ont**

• Quand les verbes se terminent par **–e**
  (**dire**, **lire**, **attendre**, **comprendre**, **mettre**...) :
  prendre + **–ai, –as, –a, –ons, –ez, –ont**.

DIRE	METTRE
je dir**ai**	je mettr**ai**
tu dir**as**	tu mettr**as**
il/elle/on dir**a**	il/elle/on mettr**a**
nous dir**ons**	nous mettr**ons**
vous dir**ez**	vous mettr**ez**
ils/elles dir**ont**	ils/elles mettr**ont**

> **Verbes irréguliers**
>
> | | |
> |---|---|
> | ALLER | → j'**ir**ai... |
> | AVOIR | → j'**aur**ai... |
> | ENVOYER | → j'**enverr**ai... |
> | ÊTRE | → je **ser**ai... |
> | FAIRE | → je **fer**ai... |
> | FALLOIR | → il **faudr**a... |
> | PLEUVOIR | → il **pleuvr**a... |
> | POUVOIR | → je **pourr**ai... |
> | SAVOIR | → je **saur**ai... |
> | TENIR | → je **tiendr**ai... |
> | VENIR | → je **viendr**ai... |
> | VOIR | → je **verr**ai... |
> | VOULOIR | → je **voudr**ai... |

> On utilise aussi souvent le présent pour exprimer une idée de futur.
>
> *On **est** en vacances dans deux semaines ! Super !*

La différence entre le futur simple et le futur proche

On utilise le futur simple pour :

• exprimer un avenir lointain.
  *En 2060, on **ira** en vacances sur la Lune.*

• parler d'un événement non daté.
  *On **trouvera** un vaccin contre la malaria.*

On utilise le futur proche pour :

• exprimer la proximité dans l'avenir.
  *Vite ! Le train **va partir** !*

• exprimer la certitude.
  *Demain, il **va pleuvoir**.*

e 55

1 Vous entendez un présent ou un futur ? Cochez la bonne réponse.

	1.	2.	3.	4.	5.	6.	7.	8.	9.	10.
Présent										
Futur										

e 56

2 Écoutez le bulletin météo et cochez la bonne réponse.

	Vrai	Faux
1. Brest : le week-end sera assez beau.		
2. Strasbourg : il pleuvra un peu ce week-end mais il fera très chaud.		
3. Paris : il y aura un très beau temps lundi et mardi.		
4. Nice : il fera froid et il pleuvra toute la semaine.		

3 Donnez l'infinitif des verbes conjugués.

1. Tu pourras venir ?   →   _____

2. Il fera des études de sciences.   →   _____

3. Un jour, tu comprendras !   →   _____

4. On ira en Écosse ?   →   _____

5. Tu m'enverras une carte ?   →   _____

6. Il n'aura pas le temps.   →   _____

4 Complétez librement avec un verbe au futur, comme dans l'exemple.

Maintenant, il habite chez sa mère. Mais l'année prochaine, _____*il habitera dans son studio*_____.

1. Si tu continues à manger toute la journée, dans dix ans, tu _____.

2. Il n'a pas de succès mais je suis sûr qu'un jour, _____.

3. J'adore Venise. L'année prochaine, _____ au Carnaval.

4. Ne pleure pas ! Ton copain _____.

5. Ne m'oublie pas ! Tu _____ un message de temps en temps ? C'est promis ?

5 Futur simple ou futur proche ? Entourez la bonne réponse.

1. Attention ! Tu **vas te faire mal / te feras mal**.

2. En 2100, le pétrole **ne va plus exister / n'existera plus** et on **va aller / ira** à bicyclette.

3. Quand je **vais être / serai** grand, je **vais être / serai** pilote de chasse.

4. Le ciel est noir, je suis sûr qu'il **va pleuvoir / pleuvra**. Prends ton parapluie !

7.3 Payez moins, parlez plus !

> VOUS AVEZ BEAUCOUP D'AMIS ?
>
> AVEC LE FORFAIT 2x,
> TÉLÉPHONEZ DEUX FOIS PLUS
> QU'AVANT, ET PAYEZ MOINS !

Le comparatif

On compare plusieurs éléments.

+ La supériorité : **plus** ... **que**

= L'égalité : **aussi** ... **que** / **autant** ... **que**

− L'infériorité : **moins** ... **que**

> **Comparatifs irréguliers**
>
> plus bon → meilleur :
> *Elle a une **meilleure** note que moi.*
>
> plus bien → mieux : *C'est normal, elle travaille **mieux** que toi !*

	L'infériorité **moins** ... **que**	L'égalité : **aussi** ... **que** / **autant** ... **que**	La supériorité **plus** ... **que**
Avec un adjectif ou un adverbe	**moins** + adjectif ou adverbe + **que** *Elle est **moins** jolie **que** sa copine / Elle travaille **moins** bien **qu'**elle.*	**aussi** + adjectif ou adverbe + **que** *Il est **aussi** grand **que** moi./ Elle travaille **aussi** bien **que** son frère.*	**plus** + adjectif ou adverbe + **que** *Henri est **plus** jeune **que** Gaspard. / Je cours **plus** vite **que** toi !*
Avec un nom	**moins de** + nom (sans article !) + **que** *J'ai **moins de** chance **que** vous.*	**autant de** + nom (sans article !) + **que** *Il y a **autant de** touristes en juin **qu'**en septembre !*	**plus de** + nom (sans article !) + **que** *Il y a **plus de** musées à Paris **qu'**à Bordeaux.*
Avec un verbe	**moins que** *Demain, on travaillera **moins qu'**aujourd'hui !*	**autant que** *Il va pleuvoir **autant qu'**hier.*	**plus que** *Elle travaille **plus que** toi !*

La place du COD et du COI

Le COD ou COI se place **avant** le verbe avec :
- un temps simple.

  *Je **la** regarde. Je ne **la** regarde pas.*   *Je **lui** parle. Je ne **lui** parle pas.*

- un temps composé.

  *Je **l'**ai vu hier. Je ne **l'**ai pas vu hier.*   *Je **lui** ai téléphoné. Je ne **lui** ai pas téléphoné.*

- l'impératif négatif.

  *Ne **la** regarde pas !*   *Ne **leur** dis rien !*

Le COD ou COI se place **entre** le verbe et l'infinitif avec deux verbes.

  *Tu veux **les** inviter ? Tu ne veux pas **les** inviter ?*
  *Nous allons **leur** demander. Nous n'allons pas **leur** demander.*

Le COD ou COI se place **après** le verbe avec l'impératif positif.

  *Écoute-**la** !*   *Parle-**lui** !*

1 Écoutez et complétez.

1. Elle voudrait être _____ grande et _____ mince.

2. Elle a changé : elle a les cheveux _____ longs et _____ blonds.

3. Mon fils aimerait être _____ timide, _____ confiant.

4. Vous voulez avoir de _____ notes, très bien ! C'est facile : il faut travailler _____.

5. Si tu étais _____ relax, ça irait _____ !

6. L'examen de cette année est _____ facile que l'année dernière.

2 Imaginez des phrases avec les éléments suivants en utilisant des comparatifs. Il y a plusieurs possibilités.

Henri : 115 kilos / Georges : 80 kilos → _*Henri est plus gros (plus lourd) que Georges.*_

1. Patricia : 1,70 m / Alice : 1,55 m → _____

2. Michel : 3 750 € par mois / Lucas : 3 120 € par mois → _____

3. Flore : 16/20 / Ben : 14/20 → _____

4. Pull en cachemire : 110 € / Pull en coton : 33 € → _____

5. Nice : 33° C / Deauville : 25° C → _____

6. France : 65,5 millions d'habitants / Allemagne : 82 millions d'habitants → _____

_____

3 Complétez avec *aussi ... que* ou *autant ... que*.

1. Il y a _____ d'habitants à Bordeaux _____ Nice ?

2. Il fait _____ chaud sur la Côte d'Azur _____ en Corse.

3. Frank travaille _____ bien _____ Fred.

4. – Vous recevez _____ de lettres _____ avant ?

   – Non, mais je reçois beaucoup plus de mails !

4 Placez le complément à la bonne place.

1. Elle n'aime pas beaucoup sa cousine Laure. Elle ne voit pas souvent. (la) → _____

2. Il est fâché avec Frédéric. Il ne veut pas parler. (lui) → _____

3. Tes parents ont raison, à mon avis. Écoute ! (les) → _____

4. Grand-mère n'entend rien ! Je ne vais pas téléphoner ! (lui) → _____

5. Mais elle voit très bien. Tu peux envoyer un petit mot ou un mail. (lui) → _____

6. Ces paquets ne sont pas pour toi ! Ne ouvre pas ! (les) → _____

7. Ces touristes sont perdus ! Je vais expliquer le chemin. (leur) → _____

8. Oui, tu as raison. Aide ! (les) → _____

7.4 C'est pour aujourd'hui ou c'est pour demain ?

DEMAIN, FIN DE LA GRANDE BRADERIE DE TOUS NOS PULLS À -50% !

Il n'y en aura pas pour tout le monde !

Indiquer un moment

On utilise **aujourd'hui**, **maintenant**, **en ce moment** ou **actuellement**.
*Les Vautrin ne sont pas là **en ce moment**, ils sont en vacances.*

Indiquer une durée

- **Depuis** + date ou durée ou événement : l'action continue dans le présent.
  ***Depuis** le 30 juin 2010.* (depuis + date)
  *Ils habitent à Tokyo **depuis** quinze ans.* (depuis + durée)
  ***Depuis** leur mariage.* (depuis + événement)

- **Pendant** + durée : pour exprimer la durée d'une action ou d'un événement.
  *Tous les jours, je fais de la gymnastique **pendant vingt minutes.***

- **En** + durée : pour exprimer le temps nécessaire pour faire quelque chose.
  *Il a fait ce travail **en trois heures**.*

Se situer dans le futur

On peut se situer dans le futur :

- avec des mots ou des locutions : **bientôt, demain, après-demain, la semaine prochaine**…
  *Tu viens **demain** ?*

- avec le futur proche ou le futur simple.
  *On **va partir**. On **partira**.*

- avec une combinaison de mots et des temps au futur.
  *On **va partir la semaine prochaine**. On **partira demain**.*

On peut exprimer une idée de futur avec :

- le présent
  *Demain, je **pars** en Italie !*

- le futur proche
  *Demain, on **va dîner** chez Louise.*

- le futur simple
  *Le 14 mars, il **aura** trente ans.*

Pour se projeter dans le futur

- **Dans** + indication de temps.
  *Le train pour Amsterdam partira **dans** cinq minutes.*

- **À partir de** + indication de temps.
  *Les soldes commencent **à partir de** la semaine prochaine.*

> Ne confondez pas
> **en** et **dans** :
>
> *Je ferai ce travail **en** trois jours.* (= il me faudra trois jours pour faire ce travail)
>
> *Je ferai ce travail **dans** trois jours.* (= si nous sommes lundi, je le ferai jeudi)

1 Écoutez et cochez la bonne réponse.

1. ☐ J'habite à Lyon depuis janvier.   ☐ J'habiterai à Lyon en janvier prochain.
2. ☐ Nous partons à Florence dans un an.   ☐ Nous avons habité un an à Florence.
3. ☐ Il aura seize ans la semaine prochaine.   ☐ Il aura seize ans après-demain.
4. ☐ Je ferai ce travail en dix minutes.   ☐ Je ferai ce travail dans dix minutes.
5. ☐ Elle fait la cuisine pendant des heures.   ☐ Elle fait la cuisine depuis des heures.
6. ☐ Demain, le train 2002 change d'horaire.   ☐ Attention, le train 2002 va partir à 10 h 28.

2 Écoutez et dites si c'est vrai ou faux.

	Vrai	Faux
1. Il part aux Antilles le 1er mai.		
2. Il revient à Lyon le 30 juin.		
3. Il est parti aux Antilles depuis trois semaines.		
4. Il va rester trois semaines aux Antilles.		
5. Il est marié depuis trois mois.		
6. Il se mariera le 18 août prochain.		

3 Complétez avec *depuis, pendant, dans* et *en ce moment*.

1. – Vous m'attendez _____ longtemps ?

   – Non, non. On est là _____ deux minutes.

2. – Qu'est-ce que tu vas faire _____ les vacances ?

   – Je vais chez mes grands-parents. Je pars _____ deux jours.

3. – Vous pouvez m'attendre ? Je finis mon travail et j'arrive. Je suis là _____ cinq minutes maximum !

   – D'accord mais fais vite ! On t'attend _____ une demi-heure et il fait très froid ! Dépêche-toi !

4. Je viendrai te voir plus tard. Vraiment, _____ je ne peux pas : j'ai trop de travail !

5. _____ dix secondes, la fusée Ariane va partir. Attention : dix, neuf, huit, sept...

6. Enfin une lettre de Cécile ! Nous attendons de ses nouvelles _____ une semaine !

4 À vous.

1. Quelle est votre date de naissance ? Je suis né(e) _____

2. Vous étudiez le français depuis quand ? J'étudie le français _____

3. Quelle est votre saison préférée ? Ma saison préférée, c'est _____

4. Dans votre pays, quel est le mois le plus froid ? C'est _____

5. Dans votre pays, la rentrée des classes est à quelle date ? L'école commence _____

On fait le point !

1 Complétez avec les verbes entre parenthèses au futur simple ou au futur proche.

1. Quand je _____ (être) grand, je _____ (être) cosmonaute.

2. Attention, tu _____ (tomber) !

3. Je _____ (aller) à la piscine tout à l'heure.

4. Nous _____ (se marier) peut-être un jour mais ce n'est pas sûr.

5. Je _____ (donner) cette bague à ma fille quand elle _____ (avoir) dix-huit ans.

2 Complétez avec *en*, *dans* ou *pendant*.

1. Elle aura trente ans _____ trois jours. Qu'est-ce qu'on lui offre ?

2. Il est resté à l'hôpital _____ deux semaines.

3. Taxi ! Plus vite, s'il vous plaît. L'avion part _____ une heure ! Je vais le rater !

4. Il a fini tous les travaux _____ deux jours.

5. C'est très facile ! Je fais ça _____ cinq minutes !

3 Répondez avec un complément d'objet indirect.

1. – Tu vas écrire à ton oncle ?
   – Non, _____.

2. – Vous répondrez à Karine ?
   – Oui, _____ demain.

3. – Tu ne parleras plus à tes voisins ?
   – Non, _____.

4. – Leur enfant ressemble à qui ? À son père ?
   – Oui, _____.

5. – Kamel téléphone souvent à ses grands-parents ?
   – Oui, _____ toutes les semaines.

4 Comparez ces deux salariés de l'entreprise IMAX. Utilisez des comparatifs.

Alexis Bruneau – 38 ans – diplôme supérieur (Bac +5) – 12 ans d'expérience - salaire mensuel : 3 750 euros.
Laura Menara – 30 ans – diplôme supérieur (Bac +6) – 6 ans d'expérience. Salaire mensuel : 2 800 euros.

_____

_____

ET CHEZ VOUS ?

En français, pour parler d'un événement futur, on peut dire *je pars mercredi soir* ou *je vais partir mercredi soir* ou encore *je partirai mercredi soir*. Et dans votre langue ?

_____

_____

8. SE SITUER DANS LE TEMPS : LE PASSÉ

8.1 Hier, nous avons joué au tennis pendant deux heures

Aurélien et moi, on adore le tennis.
Hier, on a joué pendant deux heures. J'ai gagné !

L'emploi du passé composé

Le passé composé est formé de deux éléments : un auxiliaire (**être** ou **avoir**) + un participe.
On utilise le passé composé :

- pour raconter des faits et des actions passés et limités dans le temps.
  *Il **a habité** à Marseille de 2000 à 2007.*

- pour raconter une suite d'actions.
  *Hier, j'**ai pris** le métro, j'**ai retrouvé** mon père place Garibaldi, nous **avons dîné** ensemble et, au restaurant, nous **avons vu** une actrice très connue.*

Le passé composé avec l'auxiliaire AVOIR

La grande majorité des verbes se conjuguent avec l'auxiliaire **avoir**.

Hier,	j'	***ai regardé*** la télévision.
	tu	***as travaillé*** très tard.
	il/elle/on	***a dîné*** au restaurant.
	nous	***avons vu*** un film d'horreur.
	vous	***avez lu*** un roman de Balzac.
	ils/elles	***ont joué*** au tennis.

La formation du participe passé

- Pour les verbes en **–er** : le participe passé est toujours en **–é**.
  regard**er** → *j'ai regardé*   dîn**er** → *nous avons dîné*   travaill**er** → *tu as travaillé*

- On classe les autres verbes selon leur terminaison.
  Voici quelques exemples.

PARTICIPES EN –i	PARTICIPES EN –is	PARTICIPES EN –it	PARTICIPES EN –u
*Nous avons fin**i**.*	*J'ai pr**is** le train.*	*J'ai écr**it** à Léa.*	*J'ai v**u** Éric.*
*Ils ont dorm**i**.*	*Tu as compr**is**.*	*Il a d**it** oui.*	*Il n'a pas voul**u**.*
*Elles ont r**i**.*	*Elle a appr**is** le grec.*	*Il a tradu**it** le texte.*	*Je n'ai pas s**u**.*

Autres participes passés :

avoir	→	j'ai eu	*Elle a **eu** dix-huit ans le 12 janvier.*
être	→	j'ai été	*Vous avez **été** malade ?*
faire	→	j'ai fait	*Nous avons **fait** un voyage magnifique.*
ouvrir	→	j'ai ouvert	*Qui a **ouvert** la fenêtre ?*

1 Écoutez. Le verbe est au présent ou au passé composé ? Cochez la bonne réponse.

	1.	2.	3.	4.	5.	6.	7.	8.	9.	10.
Présent										
Passé composé										

2 Écoutez et entourez l'infinitif des verbes au passé composé que vous avez entendus. Il faut trouver dix verbes.

acheter	chanter	commencer	comprendre	déjeuner	donner	dormir
écrire	faire	finir	habiter	jouer	lire	manger
parler	préparer	regarder	retrouver	travailler	voir	

3 Quel est l'infinitif des passés composés suivants ?

1 Nous avons bu du thé. → _____

2. Tu as compris ? → _____

3. Il n'a pas su répondre. → _____

4. Vous avez vu Elsa ? → _____

5. Elle a perdu ses clés. → _____

6. Ils ont eu deux enfants. → _____

7. Il a bien connu Einstein. → _____

8. Ils ont vécu en Argentine. → _____

9. Elles ont été très fatiguées. → _____

10. Tu as lu *Madame Bovary* ? → _____

4 Complétez avec un des verbes suivants. Conjuguez au passé composé.

boire · décider · dîner · faire · gagner (x2) · jouer (x2) · manger · perdre · prendre

– Hier soir, nous _____ de tenter notre chance au casino.

Nous _____ la voiture et en route pour Deauville !

– Vous _____ à quel jeu ?

– Nous _____ au baccara.

– Vous _____ ou vous_____ ?

– Nous _____ 1 000 euros !

– Et alors ? Qu'est-ce que vous _____ avec l'argent ?

– Nous _____ dans le meilleur restaurant de la ville,

nous _____ un énorme plateau de fruits de mer

et nous _____ un excellent champagne.

8.2 Vous êtes arrivés à quelle heure ?

Piste 62

- *Qu'est-ce que tu as fait hier soir ? Tu es sortie ?*

- *Oui, je suis allée au cinéma avec Denis et après nous sommes allés danser.*

- *Vous êtes rentrés tard ?*

- *Oui, nous sommes arrivés à la maison à cinq heures du matin.*

Le passé composé avec l'auxiliaire ÊTRE

Au passé composé, certains verbes se construisent avec l'auxiliaire **être** :

VERBES AVEC « CHANGEMENT DE LIEU »	VERBES PRONOMINAUX
ARRIVER Je **suis** arrivé(e) Tu **es** arrivé(e) Il **est** arrivé Elle **est** arrivée On **est** arrivé(e)s Nous **sommes** arrivé(e)s Vous **êtes** arrivé(e)(s) Ils **sont** arrivés Elles **sont** arrivées	SE DÉPÊCHER Je me **suis** dépêché(e) Tu t'**es** dépêché(e) Il s'**est** dépêché Elle s'**est** dépêchée On s'**est** dépêché(e)s Nous nous **sommes** dépêché(e)s Vous vous **êtes** dépêché(e)(s) Ils se **sont** dépêchés Elles se **sont** dépêchées

- Des verbes qui expriment **une idée de changement de lieu**.
  aller / venir (+ revenir, devenir) : *Il est allé à Tahiti, il est revenu samedi dernier.*
  entrer (rentrer) / sortir : *Elle est sortie hier soir. Elle est rentrée à minuit.*
  arriver / partir : *Ils sont arrivés à 9 h et ils sont partis à 17 h.*
  monter / descendre : *Elisa est montée ? Non, elle est descendue.*
  tomber : *Le petit garçon est tombé du toboggan.*
  passer : *Nous sommes passés par Lyon pour aller à Marseille.*
  retourner : *Après vingt-cinq ans à l'étranger, il est retourné vivre en France.*
  naître / mourir : *Édith Piaf est née en 1915 et elle est morte en 1963.*

- tous les **verbes pronominaux**.
  Elle s'est levée à huit heures, elle s'est douchée, elle s'est habillée…

On accorde le participe passé avec le sujet du verbe.
   Il est venu / elle est venue.
   Ils sont venus / elles sont venues.

Rester (pas de changement de lieu !) :

*Elles **sont restées** à la maison.*

1 Écoutez et complétez la fiche de Carmela.

FRANCO-RIBERO Carmela

■ Date de naissance : _____

■ Lieu de naissance : _____

■ Études : 3 ans de _____ à l'université de Lima (Pérou)

■ 2008-2009 : travail au pair en _____

■ Arrivée en France : _____

■ Inscription en _____ de psychologie

2 Associez.

1. Pierre et moi
2. Elles
3. Thomas
4. Je
5. Chris et toi
6. Tu
7. Anna
8. On
9. Ils
10. Pardon, madame,

A. s'est levé à cinq heures du matin.
B. t'es couché(e) à quelle heure ?
C. s'est vraiment bien amusés tous ensemble !
D. vous avez pris ma place. Je suis au n° 56.
E. nous nous sommes dépêchés pour attraper notre train.
F. s'est mariée l'année dernière à Nice.
G. se sont promenées dans les rues d'Istanbul.
H. me suis reposé(e) une heure avant de sortir.
I. vous vous êtes rencontrés où ?
J. se sont rencontrés en 2011.

1	2	3	4	5	6	7	8	9	10

3 Complétez avec les verbes *aller, arriver, partir, rester, retourner*. Utilisez une fois chaque verbe.

Eileen est _____ en France le 1er janvier 2013. Une semaine plus tard, des amis ont fait une

fête pour elle. Elle y _____, toute contente. Ce soir-là, elle a rencontré Cédric. Coup de foudre :

l'amour fou ! Alors, elle n'_____ pas _____ en Irlande,

elle _____ en France. Cédric et Eileen ont habité ensemble quelques semaines mais

leur amour n'a pas duré. Un jour, elle a fait sa valise et _____.

4 Conjuguez les verbes entre parenthèses au passé composé.

```
Rapport de P. W.
Madame X _____ (sortir) de chez elle à 10 h 12. Elle _____
(arriver) à la station de bus à 10 h 21. Elle _____ (monter) dans le bus.
Je _____ (monter) derrière elle. Elle _____ (descendre) à la
station Place des Fêtes. Moi aussi. Elle _____ (arriver) devant le n°218 du
boulevard Jourdain et elle _____ (entrer) à 11 h 05.
Elle _____ (monter) au 6e étage. Elle _____ (rester) dans
l'appartement jusqu'à 13 h 25. À 13 h 25, elle _____ (sortir) avec un
monsieur brun, 1,85 m environ, lunettes et costume gris. Ils _____ (aller)
déjeuner Aux mille saveurs, rue du Delta. Ils _____ (sortir) du restaurant à
14 h 45. Madame X a pris le métro et elle _____ (rentrer) chez elle à 15 h 41.
```

8.3 Quand j'ai ouvert la fenêtre, il pleuvait

Rappelle-toi, Barbara
Il pleuvait sans cesse sur Brest ce jour-là
Et tu marchais souriante
Épanouie, ravie, ruisselante
Sous la pluie
Rappelle-toi Barbara
Il pleuvait sans cesse sur Brest
Et je t'ai croisée rue de Siam…

Jacques Prévert, *Paroles* (1946)

L'emploi de l'imparfait

On utilise l'imparfait pour :

• décrire une situation passée.
   *Vers 1925, en France, les femmes **portaient** des robes courtes
   et **dansaient** le charleston.*

• décrire des habitudes dans le passé.
   *Chaque année, nous **allions** en vacances chez nos grands-parents.*

• commenter (le fait est au passé composé, le commentaire est à l'imparfait).
   *Il a neigé hier. C'**était** extraordinaire !*

• décrire un décor, les circonstances qui entourent un fait
   ou une action passée.
   *Quand j'ai ouvert la fenêtre, il **pleuvait**.*

La formation de l'imparfait

Pour former l'imparfait, on prend le radical (la base) de la première personne du pluriel du présent (**nous**) + –ais, –ais, –ait, –ions, –iez, –aient.

ALLER (nous allons)	**AVOIR** (nous avons)	**FAIRE** (nous faisons)	**FINIR** (nous finissons)
j'all**ais**	j'av**ais**	je fais**ais**	je finiss**ais**
tu all**ais**	tu av**ais**	tu fais**ais**	tu finiss**ais**
il all**ait**	il av**ait**	il fais**ait**	il finiss**ait**
nous all**ions**	nous av**ions**	nous fais**ions**	nous finiss**ions**
vous all**iez**	vous av**iez**	vous fais**iez**	vous finiss**iez**
ils all**aient**	ils av**aient**	ils fais**aient**	ils finiss**aient**

   ÊTRE (seule exception)

   j'ét**ais**

   tu ét**ais**

   il ét**ait**

   nous ét**ions**

   vous ét**iez**

   ils ét**aient**

> Attention aux verbes qui se finissent en –**ger**
> (je man**geais**, on voya**geait**, il déména**geait**) et aux verbes qui se terminent en –**cer**
> (je commen**çais**, il nous mena**çait**, nous avan**cions**).

1 Écoutez. Le verbe est au présent, au passé composé ou à l'imparfait ? Cochez la bonne réponse.

	1.	2.	3.	4.	5.	6.	7.	8.	9.	10.
Présent										
Passé composé										
Imparfait										

2 Écoutez et complétez.

Ce matin, quand Florence est sortie de chez elle, il _____ très beau. Il y _____
un grand soleil et tous les gens _____ l'air heureux. Elle aussi, elle _____ la
vie belle ! Quand elle est arrivée à son bureau, ses collègues _____ déjà là. Ils lui ont offert un
énorme bouquet de roses parce que c'_____ le jour de son anniversaire.
Florence _____ très émue, elle a pleuré ! Elle ne _____ pas que
ses collègues _____ son jour de naissance.

3 Donnez l'imparfait des verbes suivants.

1. prendre → il _____

2. partir → nous _____

3. venir → vous _____

4. dire → tu _____

5. parler → vous _____

6. vouloir → je _____

7. connaître → on _____

8. pouvoir → ils _____

4 Conjuguez comme dans l'exemple.

Avant, il __voyageait__ (voyager) beaucoup. Maintenant, il __préfère__ (préférer) rester chez lui.

1. Avant, nous _____ (finir) le travail à 18 h. Maintenant, nous _____ (partir) à 17 h.

2. Avant, il _____ (boire) beaucoup. Maintenant, il _____ (être) au régime sec !

3. Avant, tu me _____ (dire) des mots d'amour. Maintenant, tu ne _____ (dire) plus rien.

4. Avant, les femmes _____ (rester) à la maison. Aujourd'hui, elles _____ (travailler)
   presque toutes.

5. Avant, en France, on _____ (avoir) des francs. Depuis 2001, on _____ (avoir) des euros.

6. Avant, j'_____ (adorer) conduire. Maintenant, je _____ (déteste) ça !

5 Répondez aux questions sur votre enfance.

1. Quand vous aviez dix ans, vous habitiez où ?

_____

2. Vous alliez dans quelle école ?

_____

3. Comment s'appelait votre meilleur(e) ami(e) ?

_____

4. Qu'est-ce que vous faisiez pendant le week-end ?

_____

5. Vous aviez des frères et sœurs ?

_____

6. Vous aimiez lire ?

_____

8.4 Il y a vingt ans, je suis arrivé au Canada

QUI BATTRA CE RECORD MONDIAL ?

La semaine dernière, un rameur a battu le record de traversée de l'Atlantique, autrefois détenu par le Norvégien Henrik Grieg...

Pour parler d'un moment passé :

On utilise **avant, à ce moment-là, à cette époque-là, autrefois, hier, avant-hier, la semaine dernière, le mois dernier, l'année dernière, il y a deux semaines**...
> – *Il a eu un accident de moto **la semaine dernière** et il a passé deux jours à l'hôpital.*
> – *Moi aussi, **avant**, je faisais de la moto mais j'ai arrêté **il y a deux ans**.*

L'idée de durée

▶ 7.4 Indiquer une durée   p. 74

La durée peut être terminée, « fermée » : elle a un début et une fin.

- **De / du ... à...** : on considère le début et la fin d'une action ou d'un processus.
  *Ils ont loué la maison **du 15 au 30 juillet**.*

- **Jusqu'à / jusqu'en**... + date ou événement.
  *Ils ont vécu en Espagne **jusqu'en** 2012 / **jusqu'à** leur retraite.*

- **Pendant** : on considère la totalité de la durée.
  *La Belle au bois dormant a dormi **pendant** cent ans !*

- **En** : on considère le temps qu'il faut pour faire quelque chose.
  *Il a traversé l'Atlantique à la rame aller-retour (11 000 km) **en** 145 jours.*

Ne confondez pas **depuis** et **il y a**.

- **Depuis** + date, durée ou événement : l'action continue dans le présent.
  *Elle habite en Allemagne **depuis** le 1er octobre 2013, **depuis** trois mois, **depuis** son mariage.*

- **Il y a** + durée : l'action est complètement terminée dans le passé.
  *J'ai rencontré Jimmy Cho **il y a** deux ans à Los Angeles.*

1 Écoutez les questions et cochez la réponse qui convient.

1. ☐ Je l'ai appris il y a dix ans.
   ☐ Je l'apprends pendant deux ans.
   ☐ Je l'apprends depuis un an.

2. ☐ Oui, j'ai fait les quatre exercices en dix minutes !
   ☐ Oui, j'ai fait les exercices pendant une heure.
   ☐ Oui, je ferai les exercices pour lundi.

3. ☐ Non, il y a trois mois.
   ☐ Non, le 15 juillet.
   ☐ Non, deux semaines seulement.

4. ☐ J'ai visité la Chine.
   ☐ Je l'ai visité une fois, en 2005.
   ☐ Je le visiterai en six mois.

5. ☐ Je ne l'ai pas vu depuis trois mois.
   ☐ Oui, je le vois longtemps.
   ☐ Je ne le vois pas très longtemps.

6. ☐ On est en vacances jusqu'à mercredi.
   ☐ On est en vacances de mardi à vendredi.
   ☐ On est en vacances à partir de mercredi.

2 Complétez avec *de... à, jusqu'à... (jusqu'en...), pendant, depuis, il y a* ou *en*.

1. Nous avons cours tous les jours _____ dix heures _____ midi.

2. Hier, nous avons travaillé très tard, _____ onze heures du soir.

3. Il est resté dans ce collège _____ quatre ans. Après, il est allé au lycée.

4. Nous avons acheté cette voiture _____ vingt ans !

5. En 2013, le Kenyan Geoffrey Mutai a couru le marathon de New York _____ 2 h 8 min. 24 sec.

6. Elle a beaucoup changé _____ la naissance de ses enfants.

7. L'hôtel est resté fermé pour travaux _____ mars dernier.

3 Cochez la phrase qui correspond.

1. Ils se sont mariés il y a dix ans.
   ☐ Ils sont toujours mariés.
   ☐ On ne sait pas s'ils sont toujours mariés.

2. Ils vivent au Québec depuis six mois.
   ☐ Ils sont toujours au Québec.
   ☐ On ne sait pas s'ils sont toujours au Québec.

3. Elle est restée chez moi pendant une heure.
   ☐ Elle est encore chez moi.
   ☐ Sa visite a duré une heure.

4. Il a fait le trajet en un quart d'heure.
   ☐ Il part dans un quart d'heure.
   ☐ Il a mis un quart d'heure pour faire le trajet.

5. Il y a trois ans, il vivait au Japon.
   ☐ Il a passé trois ans au Japon.
   ☐ Il était au Japon il y a trois ans.

4 Cochez la bonne réponse.

1. Attends-moi ! J'arrive	☐ tout de suite.	☐ demain.	☐ avant.
2. J'ai changé de coiffure	☐ avant.	☐ bientôt.	☐ il y a deux mois.
3. Écoute, je n'ai pas le temps	☐ autrefois.	☐ maintenant.	☐ l'année prochaine.
4. Je t'expliquerai tout ça	☐ hier.	☐ le mois dernier.	☐ plus tard.
5. J'aimais beaucoup conduire	☐ avant.	☐ demain.	☐ maintenant.
6. Si tu veux, on peut se voir	☐ hier.	☐ avant.	☐ demain.

On fait le point !

1 Complétez avec les verbes entre parenthèses au passé composé ou à l'imparfait.

En 2005, Ursula _____ (aller) en Écosse. Elle _____ (partir) de Bruxelles le 30 juin à

bicyclette. Elle _____ (vouloir) visiter le pays tranquillement. Il _____ (faire) beau, les

journées _____ (être) longues. Tout _____ (être) parfait !

Un jour, à Glasgow, elle _____ (rencontrer) un homme très intéressant.

Il _____ (être) français et lui aussi, il _____ (faire) tous ses voyages à bicyclette.

Ils _____ (décider) de continuer le voyage ensemble.

2 Entourez l'auxiliaire qui convient.

1. Hier, nous **avons sorti / sommes sortis**, nous nous **avons promené / sommes promenés** au bord de la
   Seine puis nous **avons dîné / sommes dîné** à la terrasse d'un restaurant près de la tour Eiffel.

2. – Quand est-ce que tu **as / es** fini ton travail ?

   – Hier à minuit et ce matin, j(e) **ai / suis** commencé à huit heures !

3. – Il **a / est** parti depuis combien de temps ?

   – Il **a / est** arrivé avant-hier et il **a / est** quitté la maison ce matin.

4. – On **a / est** habité quelques mois en Suisse et puis ensuite on **a / est** parti(s) vivre en Allemagne.

   – Et en Allemagne, vous **avez / êtes** resté(s) longtemps ?

3 Mettez ces phrases dans l'ordre chronologique. Écrivez le texte.

1. Je ne veux pas que tu sortes toute seule le soir.
2. D'abord, tu es trop jeune.
3. Et en plus, ta sœur n'est jamais sortie le soir avant ses dix-sept ans.
4. Ensuite, tu sais bien que ton père ne veut pas.
5. Donc, n'insiste pas. C'est non !
6. Et elle, elle n'a jamais protesté !

Je ne veux pas que tu sortes toute seule le soir. _____

_____

_____

_____

ET CHEZ VOUS ?

Dans votre langue, pour traduire des phrases comme :

*Elle **a pris** le bus 45. Il **était** presque vide.* Vous utilisez le même temps ou deux temps différents ?

_____

_____

_____

_____

9. LES PHRASES NÉGATIVES ET INTERROGATIVES

9.1 Tu viens ou tu ne viens pas ?

Piste 67

Allons, décide-toi !
Tu viens ou tu ne viens pas ?

La place de la négation totale

La négation totale comprend toujours deux éléments. La place de ces éléments varie selon les cas.

- Avec un verbe à forme simple (présent, futur...) : **ne** + verbe + **pas.**
  *Vous **ne** travaillez **pas** ?*   *Il **ne** viendra **pas**.*

- Avec un verbe pronominal à forme simple :
  ne + pronom complément + verbe + **pas.**
  *Il **ne** se dépêche **pas**.*   *Vous **ne** vous levez **pas** ?*

- Avec un verbe à forme composée (passé composé...) :
  ne + auxiliaire + **pas** + participe passé.
  *Il **n'**est pas venu ?*   *Nous **n'**avons **pas** compris la leçon.*

- Avec un verbe pronominal à forme composée :
  ne + pronom complément + auxiliaire + **pas** + participe passé.
  *Ils **ne** se sont **pas** levés.*   *Tu **ne** t'es **pas** promené ?*

- Avec deux verbes (un verbe conjugué et un infinitif) à forme simple :
  sujet + **ne** + verbe conjugué + **pas** + infinitif.
  *Je **ne** peux **pas** venir.*   *Je **ne** veux **pas** me lever.*

- Avec deux verbes (un verbe conjugué et un infinitif) à forme composée :
  sujet + **ne** + auxiliaire + **pas** + participe passé + infinitif.
  *Il **n'**a **pas** voulu venir.*   *Il **n'**a **pas** voulu se lever.*

- Avec l'impératif : **ne** + impératif + **pas.**
  *Ne sortez **pas** !*   *Ne pleure **pas** !*

- Avec l'infinitif : **ne pas** + infinitif.
  Ne pas parler au chauffeur.   *Il m'a dit de **ne pas** sortir seule le soir.*

▶ 1.4 **La phrase négative**
p. 14

> Les pronoms personnels COD ou COI sont toujours après le **ne**.
>
> *Je ne **le** vois pas,*
> *je ne **lui** parle pas.*

> À l'oral, on supprime très souvent le **ne**.
> *Tu **ne** veux pas venir ?*
> → *Tu veux pas venir ?*

▶ 2.2 **Les articles indéfinis**   p. 20

▶ 6.1 **Les articles partitifs**   p. 58

1 Écoutez. La phrase est affirmative ou négative ? Cochez la bonne réponse.

	1.	2.	3.	4.	5.	6.
Affirmative						
Négative						

2 Mettez les mots dans l'ordre pour former des phrases.

1. pas – Je – suis – cette – sorti – ne – semaine

   Je _____

2. voulez – chez – Vous – pas – venir – ne – dîner – nous – dimanche ?

   Vous _____ ?

3. trop tard – de – rentrer – ne pas – Elle – à sa fille – a dit

   Elle _____

4. lui – mais – de l'argent – a – proposé – n' – ai – accepté – Je – il – pas

   Je _____

3 Mettez à la forme négative.

1. Il viendra chez toi demain soir ? _____
2. Nous prenons le métro tous les jours. _____
3. Béatrice comprend la situation. _____
4. Nous avons mangé depuis longtemps. _____
5. Vous êtes partis sur la Côte d'Azur cette année ? _____
6. Vous voulez venir avec moi ? _____
7. Ils se sont dépêchés. _____
8. Vous vous êtes levés tôt ce matin ! _____

4 Répondez à la forme négative. Remplacez la partie en gras par un pronom comme dans l'exemple.

– Vous allez acheter **cette veste** ?

– Non, _____je ne vais pas l'acheter_____, elle est trop chère.

1. – Tu as vu **ton copain Chris** la semaine dernière ?

   – Non, _____, il est en voyage.

2. – Vous pourrez dire la vérité **à vos parents** ?

   – Non, _____, ils ne comprendront pas !

3. – Tu as téléphoné **à ta sœur** pour son anniversaire ?

   – Non, _____, j'ai complètement oublié !

4. – Tu connais **tes nouveaux voisins** ?

   – Non, _____, ils partent très tôt et ils rentrent très tard.

5.. – Tu sais faire **cet exercice** ?

   – Non, _____, il est terriblement difficile !

9.2 Ne dis jamais : « Jamais ! »

Piste 69

• *Je n'ai jamais fumé... Et je ne fumerai jamais !*
• *C'est bien mais...*
Attention : ne dis jamais « jamais ». La vie est longue !

La négation partielle

Comme pour la négation totale, la négation partielle comprend deux éléments :
ne + autre négation (**jamais, rien, plus, personne...**).

NE ... JAMAIS (= pas une seule fois)

C'est la réponse totalement négative aux questions : **quelquefois ? déjà ? souvent ?**

Temps simple	*Vous jouez quelquefois au casino ? Non, je **ne** joue **jamais**.*
Temps composé	*Il **n'**a **jamais** rencontré Jenny.*
Deux verbes	*Tu vas comprendre ? Non, je **ne** vais **jamais** comprendre !*
Impératif	***Ne** faites **jamais** ça !*

NE ... RIEN

C'est la réponse négative à la question : **quelque chose ?**

Temps simple	*Tu veux quelque chose ? Non merci, je **ne** veux **rien**.*
Temps composé	*Tu as vu quelque chose ? Non, je **n'**ai **rien** vu.*
Deux verbes	*Vous voulez boire quelque chose ? Non, merci, je **ne** veux **rien** boire.*
Impératif	***Ne** dis **rien** !*

NE ... PLUS

C'est la réponse négative à la question : **encore ?**

Temps simple	*Elle fume encore ? Non, elle **ne** fume **plus** depuis deux mois.*
Temps composé	*Tu veux encore un gâteau ? Non, je **n'**en veux **plus**, je n'ai plus faim.*
Deux verbes	*Il peut encore conduire ? Non, il **ne** peut **plus** conduire, il est trop vieux.*
Impératif	***Ne** mange **plus** de chocolat, ça suffit !*

NE ... PERSONNE

C'est la réponse négative à la question : **quelqu'un ?**

Temps simple	*Tu connais quelqu'un à Singapour ? Non, je **ne** connais **personne**.*
Temps composé	*Vous avez rencontré quelqu'un ? Non, je **n'**ai rencontré **personne**.*
Deux verbes	*Il veut voir quelqu'un ? Non, il **ne** veut voir **personne**.*
Impératif	***Ne** regardons **personne** !*

Attention, avec **ne ... personne**, personne est toujours **en dernière position**.

> On ne peut jamais utiliser la négation **pas** avec une autre négation.
>
> *Je **ne** veux ~~pas~~ rien boire.*
> → *Je **ne** veux **rien** boire.*
>
> *Il **ne** vient ~~pas~~ jamais.*
> → *Il **ne** vient **jamais**.*

1 Écoutez et cochez la question qui correspond à la réponse.

1. ☐ Est-ce que tu as vu quelque chose d'intéressant à Lyon ?
   ☐ Tu as vu quelqu'un à Lyon ?

2. ☐ Il pleut encore ou ça s'est arrêté ?
   ☐ Il pleut souvent ici ?

3. ☐ Vous voulez acheter quelque chose ?
   ☐ Vous voulez voir quelqu'un ?

4. ☐ Elle travaille encore ?
   ☐ Elle a déjà travaillé ?

5. ☐ Tes parents habitent toujours à Bordeaux ?
   ☐ Tes parents sont déjà allés à Bordeaux ?

2 Associez.

1. Qu'est-ce que vous voulez ?   A. Personne n'a appelé.
2. Qui a téléphoné ce matin ?   B. Non, il n'y a personne.
3. Vous aimez bien le hard rock ?   C. Non, jamais.
4. Il y a encore un peu de fromage ?   D. Rien du tout, merci beaucoup.
5. Tu as déjà rencontré mon oncle de Berlin ? E. Non, pas du tout. Je déteste ça !
6. Il y a quelqu'un dans les bureaux ? F. Non, plus du tout. On a tout mangé.

1	2	3	4	5	6

3 Mettez ces mots dans l'ordre pour faire des phrases.

1. voudront – jamais – Ils – déménager – ne

   Ils _____

2. depuis – mangé – rien – Elle – n' – hier – a

   Elle _____

3. ne – personne – parler – Elle – désire – à

   Elle _____

4. rien – à – l'exercice – comprends – Je – ne

   Je _____

4 Mettez ces phrases à la forme négative.

1. Il me téléphone. → _____

2. Il habite encore en Suisse. → _____

3. Ils sont déjà venus me voir. → _____

4. J'ai entendu quelque chose. → _____

5. Dis-moi quelque chose ! → _____

6. Ils veulent encore travailler. → _____

7. Il veut boire quelque chose. → _____

9.3 Rien ne sera jamais comme avant !

Non, rien de rien, non, je ne regrette rien
Ni le bien qu'on m'a fait ni le mal
Tout ça m'est bien égal...

Édith Piaf, *Non, je ne regrette rien*, 1960

Il existe d'autres mots pour exprimer la négation partielle :

NE ... AUCUN(E) + nom

Temps simple	*Il n'a **aucun** copain.* (= 0 copain)
Temps composé	*Nous n'avons eu **aucune** confiance dans ce projet.*
Deux verbes	*Non, merci, je **ne** veux prendre **aucune** décision aujourd'hui.*
Impératif	***Ne** prenons **aucune** décision ! Attendons !*

> Aucun(e) peut être en position de sujet.
> *Aucun étudiant n'est là ?*

NE ... NI ... NI...

C'est la réponse négative à ... **et** ... (ou à ... **ou** ...).
  – *Sa maison est grande **et** moderne ?*
  – *Sa maison **n'**est **ni** grande **ni** moderne.* (= pas grande et pas moderne)

  – *Elle a un chien **ou** un chat ?*
  – *Elle **n'**a **ni** chien **ni** chat. Elle déteste les animaux.* (= pas de chien et pas de chat)

  – *Vous voulez du café **ou** du thé ?*
  – *Non merci, je **ne** bois **ni** café **ni** thé.* (= pas de café et pas de thé)

RIEN / PERSONNE + NE

Ces négations peuvent être en position de sujet.
La négation **ne** arrive immédiatement après.
***Rien n'**est facile, tout est difficile.*
***Personne ne** veut venir ?*

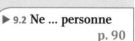
▶ 9.2 **Ne ... personne** p. 90

1 Écoutez et cochez la réponse qui correspond à la question.

1. ☐ Non, je n'ai rien vu du tout.   ☐ Non, je ne l'ai pas vu.

2. ☐ Non, personne ne veut le voir.   ☐ Non, rien du tout, merci.

3. ☐ Non, il ne va jamais au bureau.   ☐ Non, il n'est plus au bureau.

4. ☐ Non, je ne connais rien du tout.   ☐ Non, ni l'un ni l'autre.

5. ☐ Non, on ne prend jamais le train.   ☐ Non, personne ne veut.

6. ☐ Non, je ne fais aucun sport !   ☐ Non, je n'ai rien fait, je n'ai rien volé !

2 Mettez les négations à la bonne place, comme dans l'exemple.

Il veut sortir. (ne … pas)   →   _Il ne veut pas sortir._

1. Elle aime beaucoup son travail. (ne … pas)   → _____

2. Il veut aller danser avec moi. (ne … jamais)   → _____

3. Depuis un an, elle mange de la viande. (ne … plus)   → _____

4. Vous avez compris ? (ne … rien)   → _____

3 Complétez avec la négation qui convient.

(aucun) (jamais) (pas) (personne) (plus) (rien)

1. Tu ne veux _____ dire ce qui se passe ? Pourquoi tu ne dis _____ ?

2. Ne t'inquiète _____, nous ne te ferons _____ reproche.

3. Je vous dis que je n'ai _____ vu et _____ entendu.

   J'ai regardé par la fenêtre mais la rue était vide : il n'y avait _____ !

4. – Tu n'es _____ allé à Tokyo ?

   – Non, je ne connais _____ le Japon mais j'aimerais y aller !

5. Il est très âgé. Il ne sort _____ tout seul. On l'accompagne toujours.

4 Complétez les phrases suivantes avec *ne … pas, ne … rien, ne … aucun, ne … jamais,*
ne … personne, ne … ni … ni…

1. Avant l'opération, il _____ faut _____ boire _____ manger. Rien du tout ! C'est très important !

2. Les enfants _____ vont à l'école _____ le samedi _____ le dimanche.

3. Il _____ a _____ réussi son examen. C'est normal, il _____ a _____ fait pendant toute l'année !

4. Quand je suis entrée dans la salle de cinéma, il _____ y avait _____ . J'étais la seule spectatrice.

5. Lui, il fume beaucoup mais elle, elle _____ a _____ fumé. Elle a toujours détesté ça.

6. Quand mon fils est arrivé au collège, il _____ connaissait _____, il _____ avait _____ ami

   mais maintenant, il a beaucoup de copains.

9.4 Pourquoi vous ne dites rien ?

Piste 72

- *Qui est-ce ? Ce n'est pas Matt Damon ?*
- *Où ? Mais si, tu as raison ! C'est lui. Va lui demander un autographe !*
- *Pourquoi moi ?*
- *Parce que je suis plus timide que toi...*

L'interrogation

Vous avez déjà étudié quelques formes interrogatives,
voici d'autres formes :

- Pour exprimer une idée de quantité ou de prix : **Combien** ?
    – *Vous êtes **combien** dans votre classe ?*
    – *Nous sommes 35.*
    – *Ce livre coûte **combien** ?*
    – *Il n'est pas cher, il coûte 7 €.*

- Pour poser une question sur la cause, la raison d'une action, d'un fait : **Pourquoi** ?
La réponse est **parce que**...
    – ***Pourquoi** tu ne te lèves pas ?*
    – ***Parce que** je suis malade, je reste au lit !*

▶ 1.4 **L'interrogation totale**   p. 14

▶ 2.2 **Poser une question sur ...**   p. 20

▶ 3 **Poser des questions** p. 28-32-34

▶ 3.4 **La question totale** p. 34

La forme interro-négative

Quand l'interrogation totale est à la forme affirmative, on peut avoir deux réponses : **oui** ou **non**.
  Vous parlez chinois ?   → *Oui.* (= Je parle chinois.)
                               → *Non.* (= Je ne parle pas chinois.)

Mais quand l'interrogation totale est à la forme négative, les réponses sont : **si** ou **non**.
  Vous n'êtes pas fatigué ?   → *Si.* (= Vous avez raison, je suis fatigué.)
                                  → *Non.* (= Je ne suis pas fatigué.)

1 Écoutez la question et cochez la réponse qui correspond.

1. ☐ Si, bien sûr, je l'ai déjà rencontré.
2. ☐ Il est très beau !
3. ☐ Si, bien sûr, viens. Pas de problème.
4. ☐ Quatre ou cinq, je crois.
5. ☐ Parce que j'ai perdu mes clés.
6. ☐ Non, pas très cher : 500 euros, ça va.

☐ Oui, je sais qui c'est.
☐ Si, il va bien.
☐ D'accord mais pas plus tard.
☐ Oui, elle aime bien les animaux.
☐ En voiture avec Christophe.
☐ Facile ! J'ai cherché sur Internet et j'ai trouvé très vite.

2 Complétez la réponse avec *oui, si* ou *non*.

1. Tu arrives toujours au bureau la première ? → _____, souvent Alice et Paul sont déjà là.

2. Tu ne connais pas la Moldavie, n'est-ce pas ? → _____, un peu, j'y ai passé trois jours il y a deux ans.

3. Il refuse de parler ? → _____, il attend l'arrivée de son avocat.

4. Tu fumes beaucoup moins qu'avant ? → _____, j'essaie !

5. Tu n'as pas vu Olga ? Je la cherche partout ! → Mais _____ ! Elle était là il y a cinq minutes. Elle vient de sortir.

6. Il ne croit plus au Père Noël ? → _____, depuis qu'il va à l'école, c'est fini, tout ça !

3 Poser la question qui convient.

1. _____ ? ← Non, il n'est pas encore arrivé.

2. _____ ? ← Si, je l'ai vu sous le fauteuil.

3. _____ ? ← Si, je peux, mais un peu plus tard, vers six heures.

4. _____ ? ← Non, demain, pour moi, c'est impossible !

5. _____ ? ← Oui, bien sûr, on peut se voir demain à midi, si tu veux.

6. _____ ? ← Oui, je vous le passe tout de suite !

4 Posez une question possible pour chaque réponse.

1. _____ ? ← À 17 h 15 exactement.

2. _____ ? ← Toujours en bus, je n'aime ni le métro ni le tram.

3. _____ ? ← Trois euros ou cinq euros les deux.

4. _____ ? ← Hier matin. Il revient la semaine prochaine.

5. _____ ? ← Je ne sais pas, je ne le connais pas !

6. _____ ? ← Un cadeau pour la fille de ma voisine.

7. _____ ? ← À San Francisco.

8. _____ ? ← Parce que j'ai eu une mauvaise note en mathématiques.

Piste 74

1 Écoutez. Dans quelles phrases vous n'entendez pas le « ne » de la négation ? Cochez.

☐ 1   ☐ 2   ☐ 3   ☐ 4   ☐ 5   ☐ 6   ☐ 7   ☐ 8   ☐ 9   ☐ 10

2 Mettez ces phrases au passé composé.

1. Elle ne lit rien ! → _____

2. Vous ne rencontrez personne ? → _____

3. Il n'aime rien, ni le film, ni les acteurs, ni la mise en scène… → _____

4. Il ne veut voir personne. → _____

5. Nous ne jouons jamais au Loto ! → _____

6. Tu n'as jamais confiance en toi. → _____

3 Mettez ces phrases à l'impératif comme dans l'exemple.

Il ne faut pas faire ça ! (tu) → _____ *Ne fais pas ça !* _____

1. Il ne faut rien dire. (vous) → _____

2. Il ne faut rien acheter dans ce magasin. (tu) → _____

3. Il ne faut plus pleurer. (tu) → _____

4. Il ne faut pas se disputer, c'est idiot ! (nous) → _____

5. Il ne faut jamais dire « jamais ». (vous) → _____

6. Il ne faut accuser personne sans preuve. (nous) → _____

7. Il ne faut rien jeter par les fenêtres. (vous) → _____

8. Il ne faut rien donner à manger aux pigeons ! (vous) → _____

4 Imaginez cinq questions à poser pour mieux connaître quelqu'un.

1. _____

2. _____

3. _____

4. _____

5. _____

ET CHEZ VOUS ?

En français, si la question est positive, on répond **oui** ou **non**. Si la question est négative, on répond **si** ou **non**. Et dans votre langue ? Est-ce que vous traduisez de la même façon **oui** et **si** dans ces deux phrases :

Tu connais Léon ? Oui, je le connais. → _____

Tu ne connais pas Léon ? Si, je le connais. → _____

10. PHRASE SIMPLE ET PHRASE COMPLEXE

10.1 On y va à pied ou on prend le métro ?

Les principaux connecteurs

Les connecteurs sont des termes qui permettent de relier deux éléments.

▶**Ch.9 Les phrases négatives et interrogatives** p. 87

Les principaux connecteurs sont :
- **et** : on ajoute quelque chose.
  *Claire **et** Anna sont mes deux amies préférées.*
  *Je prends ma douche, je m'habille **et** j'arrive tout de suite.*

- **ou** : il y a une idée d'option.
  *Qu'est-ce que tu veux ? Du coca **ou** de l'eau ?*
  *Décide-toi : tu entres **ou** tu sors !*

Jamais de liaison après **et** :
*Claire **et** Anna* = [klɛreana]

- **mais** : il y a une idée d'opposition entre deux faits, entre deux idées.
  *Thomas n'est pas suisse **mais** allemand.*
  *Je veux venir avec vous **mais** je n'ai pas le temps.*

- **parce que** : on explique la raison. C'est la réponse à la question **Pourquoi ?**
  car = parce que (mais on préfère utiliser parce que).
  *Nous sommes tristes **parce que** nos amis sont partis.*
  *Nous sommes tristes **car** nos amis sont partis.*

- **donc** : ce mot permet d'introduire une idée de conséquence.
  *J'ai fini mon travail, **donc** je peux partir.*

Les connecteurs temporels

Certains connecteurs de temps servent à marquer les différentes étapes d'une succession d'événements ou d'actions :

- **d'abord**...

- **ensuite, puis, après**...

- **enfin**...

  *L'été dernier, nous sommes allés en Italie. **D'abord**, nous avons visité Venise. **Ensuite**, nous nous sommes arrêtés deux jours à Ravenne pour voir les mosaïques. **Puis** nous sommes allés à Ancône. **Après**, nous avons traversé les Abruzzes et, **enfin**, nous sommes arrivés à Rome.*

1 Écoutez le début de la phrase. Cochez la suite logique.

1. ☐ mais je ne l'ai pas vu.   ☐ ou je ne l'ai pas vu.
2. ☐ ou des frites ?   ☐ mais des frites.
3. ☐ alors je suis très en retard.   ☐ parce que je suis très en retard.
4. ☐ alors ça fait dix euros cinquante.   ☐ parce que ça fait dix euros cinquante.
5. ☐ et sa mère est malade depuis une semaine.   ☐ mais il est cinq heures et il n'est pas là.
6. ☐ parce que je n'ai pas pris l'autobus 34.   ☐ donc je suis partie sans prendre mon petit déjeuner.

2 Complétez avec *et* ou *ou*.

1. – Je voudrais un steak _____ des frites, s'il vous plaît.

   – Bien. Le steak, vous le voulez saignant _____ bien cuit ?

2. – Qu'est-ce que vous me conseillez ? Ce livre-ci _____ l'autre ?

3. – Vous voulez essayer quel manteau ? Le bleu _____ le noir ?

   – Je vais essayer les deux. C'est possible ?

4. Elle a étudié l'informatique _____ elle a trouvé un travail chez IBM.

5. – Tu pars tout seul _____ avec des copains ?

   – Non, pas tout seul. Marco _____ Hugo viennent avec moi.

3 Associez les deux parties de chaque phrase.

1. Je n'ai pas pu venir   A. mais je préfère les fruits.
2. Il allait trop vite   B. parce qu'il a le cœur malade.
3. J'aime beaucoup les gâteaux   C. donc il a eu un accident.
4. Il a plu toute la journée   D. donc ne m'attendez pas, j'arriverai à 23 h.
5. Il ne boit jamais de café   E. parce que j'avais trop de travail.
6. J'ai raté mon train   F. donc nous ne sommes pas sortis.

1	2	3	4	5	6

4 Mettez ces phrases dans l'ordre. Écrivez le texte.

1. Ensuite, je me suis coupé avec mon rasoir.

2. Puis je suis tombé dans l'escalier

3. J'ai passé un mauvais dimanche !

4. D'abord, quand je me suis réveillé, il pleuvait.

5. Enfin, j'ai fini la journée à l'hôpital.

6. et je me suis cassé la jambe.

J'ai passé un mauvais dimanche ! _____

_____

_____

_____.

10.2 Dis-moi que je suis la plus belle

Miroir, miroir, dis-moi que je suis la plus belle !

Les propositions complétives

La proposition complétive complète la proposition principale. Elle correspond à la question **Quoi ?** Elle commence le plus souvent par :

- **que** pour les phrases affirmatives.
  *« Je t'aime. » : Il lui dit **quoi** ? → Il lui dit **qu**'il l'aime.*

- **de** + infinitif.
  *« Écris-moi. » : Je dis **quoi** ? → Je te dis **de** m'écrire.*

La complétive introduite par QUE

Elle complète des verbes exprimant une réalité, une certitude.
On l'utilise :

- avec les verbes pour « dire » : **dire, expliquer, raconter, affirmer, annoncer**...
  « J'ai longtemps vécu en Chine » :
  *Tu racontes **quoi** ? → Tu racontes **que tu** as longtemps vécu en Chine.*

- pour donner son opinion : **penser, croire, trouver, espérer, supposer**...
  *« Il est devenu fou ! » : Elle pense **quoi** ? → Elle pense **qu**'il est devenu fou !*

- pour exprimer une certitude : **savoir, être sûr, être certain, être convaincu**...
  *« Il fera beau dimanche. » : Il est sûr de **quoi** ? → Il est sûr **qu**'il fera beau dimanche.*

- pour exprimer une constatation : **voir, constater, comprendre, sentir, avoir l'impression**...
  *« Tu es fatigué. » : Elle voit **quoi** ? → Elle voit **qu**'il est fatigué.*

La complétive introduite par DE + infinitif

Elle reprend une phrase à l'impératif : **dire, ordonner**...
*« Sortez ! » : Il nous ordonne **quoi** ?*   *→ Il nous ordonne **de sortir**.*
*« Dépêche-toi ! » : Il me dit **quoi** ?*   *→ Il me dit **de me dépêcher**.*

À la forme négative :
« Ne sors pas »   *→ Elle lui dit de ne pas **sortir**.*
« Ne téléphonez pas après 22h s'il vous plaît »   *→ Il leur demande de ne pas **téléphoner**.*

1 Écoutez et cochez la phrase qui correspond.

1. ☐ Il lui propose de venir avec eux ce soir.   ☐ Il lui dit qu'il viendra avec eux ce soir.
2. ☐ Il dit à ses enfants de se dépêcher.   ☐ Il dit qu'il se dépêche.
3. ☐ Elle lui demande s'il travaille demain.   ☐ Elle lui dit de ne pas travailler demain.
4. ☐ Elle dit qu'elle viendra demain à six heures et quart.   ☐ Elle leur dit de venir demain à six heures et quart.
5. ☐ Il explique qu'ils partent demain à 22h30.   ☐ Il leur dit de partir demain à 22h30.
6. ☐ Elle explique que son fils joue avec sa sœur.   ☐ Elle dit à son fils d'aller jouer avec sa sœur.

2 Complétez avec *raconter que…, expliquer que…, espérer que…, savoir que…, être sûr que…*
et conjuguez le verbe.

1. Patrice passe son examen demain. Il est très intelligent, il a beaucoup travaillé.

   C'est un excellent élève ! Tous ses professeurs _____ il va réussir.

2. Souvent, ma mère me _____ elle a eu une jeunesse très difficile.

3. On va en forêt ce week-end. J(e) _____ il va faire beau !

   La forêt sous la pluie, ce n'est pas agréable.

4. Écoute, je _____ tu n'aimes pas faire le ménage. Mais pour une fois, tu peux m'aider, non ?

5. À l'école, avec les enfants, quand le professeur leur _____ la Terre est ronde

   et qu'elle tourne autour du Soleil, ils sont très étonnés. Ils pensent que la Terre est plate et immobile.

3 Reprenez ces phrases au discours indirect comme dans l'exemple.

« Chris viendra avec nous. » → _____*Il dit que Chris viendra avec eux.*_____

1. « J'ai rencontré Fanny à New York . » → Elle explique _____.

2. « On ne comprend rien ! » → Les élèves disent _____.

3. « Monsieur Nakawa a appelé deux fois ce matin. » → La secrétaire dit à son directeur _____.

4. « Nous nous marierons en septembre. » → Inès et Romain annoncent _____.

5. « Je ne peux pas vous accompagner. » → Il nous explique _____.

6. « Non, non, non ! On ne veut pas venir avec vous ! » → Les enfants nous répètent _____.

4 Transformez les phrases comme dans l'exemple.

Le photographe aux touristes : « Venez ! » → _____*Il dit aux touristes de venir.*_____

1. La mère à son enfant : « Reste tranquille ! » → Elle _____.

2. Paul à son amie : « Prends une écharpe, il fait froid. » → Il _____.

3. Le professeur aux élèves : « Écrivez la date en rouge. » → Il _____.

4. Laure à son frère : « Fais attention ! » → Elle _____.

5. Le professeur à Julie : « Traduisez ce texte. » → Il _____.

6. Kate à sa sœur : « Dépêche-toi ! » → Elle _____.

10.3 Une femme que j'aime et qui m'aime...

Je fais souvent ce rêve étrange et pénétrant
D'une femme inconnue, et que j'aime, et qui m'aime
Et qui n'est, chaque fois, ni tout à fait la même
Ni tout à fait une autre et m'aime et me comprend

Paul Verlaine, *Mon rêve familier - Poèmes saturniens* (1866)

Les subordonnées relatives

Comme tous les pronoms, les pronoms relatifs remplacent un nom
et ils permettent de relier deux phrases simples.

> *J'ai acheté un livre très intéressant.* ***Ce livre*** *raconte la vie du dernier empereur inca.*
> → *J'ai acheté un livre très intéressant* ***qui*** *raconte la vie du dernier empereur inca.*

Le pronom relatif QUI

Le pronom relatif **qui** est toujours **sujet**. Il peut remplacer :
- un nom de personne (singulier ou pluriel).
  Je connais bien la dame ***qui*** *habite au n° 67.* (**la dame** = sujet du verbe **habiter**)

- un nom de chose (singulier ou pluriel).
  J'adore les films ***qui*** *finissent bien.* (**les films** = sujet du verbe **finir**)

- une idée, un concept (singulier ou pluriel).
  J'ai une proposition ***qui*** *va te plaire !* (**une proposition** = sujet du verbe **plaire**)

> **Qui** reste toujours **qui**, même devant une voyelle ou un **h** muet.
> *Le monsieur* ***qui*** *vient.*
> *Le monsieur* ***qui*** *arrive.*

Le pronom relatif QUE

Le pronom relatif **que** est toujours **complément d'objet direct** (COD).
Il peut remplacer :
- un nom de personne (singulier ou pluriel).
  La fille ***que*** *j'aime s'appelle Sophie.* (**la fille** = COD du verbe **aimer**)

- un nom de chose (singulier ou pluriel).
  Le film ***que*** *tu as vu hier était intéressant ?* (**le film** = COD du verbe **voir**)

- une idée, un concept (singulier ou pluriel).
  Ce sont des problèmes ***que*** *je connais bien.* (**des problèmes** = COD du verbe **connaître**)

> **Que** devient **qu'** devant une voyelle ou un **h** muet.
> *Le livre* ***que*** *je lis.*
> *Le livre* ***qu'elle*** *lit.*

Le pronom relatif OÙ

Le pronom relatif **où** peut remplacer :
- un nom **complément de lieu** (singulier ou pluriel).
  Vous connaissez la maison ***où*** *Victor Hugo est né ?* (**où** = **la maison**)
  Prague est une ville ***où*** *j'aimerais bien aller.* (**où** = **une ville**)

- un nom **complément de temps** (singulier ou pluriel).
  Le mercredi, c'est le jour ***où*** *je vais chez le coiffeur.* (**où** = **le jour**)
  Janvier et juillet sont les mois ***où*** *il y a des soldes.* (**où** = **les mois**)

1 Écoutez. Vous entendez *qui* ou *que* ? Cochez.

	1.	2.	3.	4.	5.	6.	7.	8.	9.	10.	11.	12.
Qui												
Que												

2 Entourez la forme correcte.

1. C'est un superbe tableau **qui / que** se trouve au Centre Georges Pompidou.
2. Elle a écrit un livre **qui / que** s'appelle *La couleur de sentiments*.
3. Johnny Depp est vraiment l'acteur **qui / que** je préfère.
4. C'est un livre **qui / que** vous allez adorer, j'en suis sûr !
5. Elle dit que ce sont des études **qui / que** ne servent à rien.
6. Dans un mois, nous allons avoir un fils **qui / que** s'appellera Gustave.
7. Dans un mois, nous allons avoir un fils **qui / que** nous appellerons Gustave.
8. Les choux, ce sont des légumes **qui / que** les enfants n'aiment pas beaucoup.

3 Dans ces phrases, *où* exprime le lieu ou le temps ? Cochez.

	le lieu	le temps
1. Juin est le mois où les jours sont les plus longs.		
2. Il habite dans l'appartement où vivait sa grand-mère.		
3. Regarde dans le placard où je range mes affaires.		
4. L'été où nous nous sommes rencontrés, il faisait très chaud.		

4 Avec ces deux phrases, faites une seule phrase. Utilisez *qui, qu(e)* ou *où* comme dans l'exemple.

J'ai un chat. J'ai trouvé ce chat dans la rue. → *J'ai un chat que j'ai trouvé dans la rue.*

1. Pour venir, il faut prendre l'autoroute. L'autoroute passe par Châtillon et Beaulieu.

_____

2. Il a fait un exposé. J'ai trouvé cet exposé très intéressant.

_____

3. Il est venu chez moi un jour. Ce jour-là, je n'étais pas à la maison.

_____

4. C'est un excellent ami. J'aimerais te le présenter.

_____

5. Elle a épousé un tennisman bulgare. Elle l'a rencontré l'année dernière.

_____

6. Montpellier et Toulouse sont des villes de France. Il y a beaucoup d'étudiants dans ces villes.

_____

10.4 Je vais t'aider : C'est pour ça que je suis là

Si tu ne peux pas voler, alors cours !
Si tu ne peux pas courir, alors, marche !
Si tu ne peux pas marcher, alors, rampe !
Tu dois continuer à avancer !

Martin Luther King Jr.

Les subordonnées de temps

- **Quand**
  *Envoie-moi un message **quand** tu arriveras.*

- **Au moment où**
  *Le téléphone a sonné **au moment où** je sortais.* (= exactement quand je sortais)

- **Pendant que**
  *Ne le dérangez pas **pendant qu**'il travaille.*
  *Je ne peux pas écouter de la musique **pendant que** je lis.*

Les subordonnées de cause

- **Parce que**
  *Il ne viendra pas **parce qu**'il est malade.*

- **Comme**
  ***Comme** j'étais en retard, j'ai pris un taxi.*

Les subordonnées de conséquence

- **C'est pour ça que**
  *Mon chat mange tout le temps, **c'est pour ça qu**'il est trop gros.*

Les subordonnées de condition

- **Si**
  ***Si** tu travailles régulièrement, tu réussiras.*
  *Viens demain **si** tu peux.*

> La subordonnée est mobile dans la phrase. Elle peut changer de place.

▶**Ch.9 Les phrases négatives et interrogatives**   p. 87

> **Parce que** répond à la question **Pourquoi ?** et est presque toujours en deuxième position dans la phrase.
>
> **Comme** donne une explication et est toujours en tête de phrase.

1 Écoutez et cochez la réponse qui correspond à la question.

1. ☐ Si tu rentres à sept heures, d'accord.
2. ☐ Je les finirai dans deux ans si tout va bien.
3. ☐ Quand tu voudras.
4. ☐ Oui, pendant trois jours.
5. ☐ Parce que je ne voulais pas vous inquiéter.
6. ☐ Depuis qu'elle est tombée.

☐ Parce qu'il pleut depuis ce matin.
☐ Oui, depuis que j'ai commencé.
☐ J'adore les dimanches à la campagne.
☐ Oui, c'est pour ça que je prends le train.
☐ Alors, je suis partie toute seule.
☐ Quand je reviendrai de Norvège.

2 Complétez.

(quand)   (pendant que)   (au moment où)   (depuis que)

1. Il est très triste _____ son amie Christine est partie.

2. J'ai rencontré Sam exactement _____ je sortais de l'immeuble.

3. Je te montrerai mes nouveaux DVD _____ tu viendras à la maison.

4. S'il te plaît, mets la table _____ je termine de préparer le dîner.

3 Associez les deux parties de chaque phrase.

1. Il a mal au ventre
2. Mets ton manteau
3. Il est très allergique
4. Comme il a trop marché,
5. Il a eu son permis de conduire,
6. Comme il ne supporte pas le soleil,

A. c'est pour ça qu'il n'a pas de chat.
B. il est fatigué.
C. parce qu'il a trop mangé.
D. c'est pour ça qu'il est content !
E. il reste toujours sous le parasol.
F. parce qu'il fait très froid ce matin.

1	2	3	4	5	6

4 Répondez avec *parce que*.

– Pourquoi tu pleures ?
– _____Parce ce que je suis triste_____ .

1. – Pourquoi vous êtes en retard ce matin ?

   – _____ .

2. – Pourquoi ils ne vont pas en vacances cette année ?

   – _____ .

3. – Pourquoi il ne veut pas prendre l'avion ?

   – _____ .

4. – Pourquoi tu détestes la couleur noire ?

   – _____ .

1 Les phrases suivantes sont des phrases simples ou des phrases complexes ? Cochez.

	Phrase simple	Phrase complexe
1. Il veut aller à l'école tout seul mais ses parents ne sont pas d'accord.		
2. Je n'ai rien dit à personne !		
3. Entrez !		
4. Vous êtes partis à quelle heure ce matin ?		
5. Elle n'a pas voulu venir avec moi alors je suis allé au cinéma tout seul.		

2 Complétez comme dans l'exemple.

« Mon copain est parti en Suède » → Elle explique _____ *que son copain est parti en Suède.* _____

1. « Il va venir » → Elle dit _____

2. « Tu es vraiment folle. » → Ma mère me dit _____

3. « Téléphone à SOS-Médecins. » → Je te demande _____

4. « Sortez les enfants ! » → Le professeur dit aux enfants _____

5. « Manu prend le bus tous les jours. » → Il dit _____

6. « Il va pleuvoir demain. » → Je crois _____

3 Complétez avec *qui*, *que* (ou *qu'*) ou *où*.

1. Le lundi, c'est le jour _____ beaucoup de magasins sont fermés, en France.

2. Le film de Fellini _____ je préfère, c'est *Huit et demi*. Et vous ?

3. Les deux garçons _____ tu vois, ce sont les garçons _____ ont eu des problèmes.

4. Comment s'appelle la ville _____ tu es né ? C'est une ville _____ est importante ?

5. Le mois _____ j'aime le moins c'est le mois _____ il fait froid et _____ les jours sont courts.

4 Complétez avec *pendant que*, *parce que*, *depuis que*, *comme* ou *si*.

1. _____ tu as été très sage toute la semaine, je t'emmène à Disneyland dimanche.

2. Je trouve que Jérémy a changé de caractère _____ il s'est marié.

3. Si elle est de mauvaise humeur en ce moment, c'est _____ elle a des problèmes d'argent.

4. _____ tu continues comme ça, attention ! Je vais me fâcher !

5. _____ je lave la vaisselle, toi, tu peux fermer les volets, s'il te plaît ?

ET CHEZ VOUS ?

En français, le pronom relatif **où** peut remplacer un nom de lieu ou de temps. Comment traduisez-vous **où** dans les phrases suivantes ?

Rome, c'est une ville où j'aimerais aller. (lieu) _____

Le 15 février 2007, c'est le jour où il a arrêté de fumer. (temps) _____

11. EXPRIMER SES IDÉES

11.1 Je ne suis pas du tout d'accord avec toi !

Exprimer une opinion personnelle

- **À mon avis**…, **Pour moi**…
  *Tu arrêtes tes études ? **À mon avis,** tu fais une erreur ! Réfléchis un peu…*
  ***Pour moi,** il faut continuer.*

- **Je pense que**…, **Je crois que**…, **Je trouve que**…
  Je pense qu*'il faut trouver une autre solution.*
  Je crois qu*'il faut attendre un peu.*
  – Il est excellent, cet acteur !
  *– Ah bon ? Tu trouves ? Moi, **je trouve qu****'il n'est pas extraordinaire.*

Exprimer une certitude

- **Je suis sûr(e) que**…, **Je suis certain(e) que**…
  Je suis sûr qu*'il réussira ses examens. Vous verrez !*

Exprimer son accord

- **Je suis d'accord avec**…, **Je suis tout à fait (entièrement) d'accord avec**…
  – Je trouve que la mode est super cette année.
  *– **Je suis entièrement d'accord avec toi.** J'adore !*

- **Vous avez raison**…, **C'est vrai**…
  – La situation n'est pas facile pour les jeunes en ce moment.
  *– **Vous avez raison.***

Exprimer son désaccord

- Désaccord modéré : **Je ne suis pas tout à fait (entièrement, complètement) d'accord avec**…
  – Les Français sont froids.
  *– **Je ne suis pas tout à fait d'accord.** Ils sont souvent sympathiques.*

- Désaccord : **Je ne suis pas d'accord avec**…
  – J'ai bien envie de déménager. Qu'est-ce que tu en penses ?
  *– **Je ne suis pas d'accord avec toi.** Ton appartement est très bien et pas cher.*

- Désaccord total : **Je ne suis absolument pas (pas du tout) d'accord avec**…
  – C'est bien, les motos !
  *– **Je ne suis pas du tout d'accord.** C'est trop dangereux.*

1 Écoutez. Qu'est-ce qui est exprimé ? Cochez

	Une opinion personnelle	Une certitude	Un accord	Un désaccord modéré	Un désaccord total
1.					
2.					
3.					
4.					
5.					
6.					
7.					
8.					

2 Dites le contraire en utilisant la négation, comme dans l'exemple.

Je suis absolument d'accord avec toi.　　　→ _Je ne suis pas du tout d'accord avec toi._

1. Il est toujours d'accord avec elle　　　→ _____

2. C'est vrai !　　　→ _____

3. Brad Pitt ? C'est un très bon acteur, à mon avis !　　　→ _____

4. Vous avez raison !　　　→ _____

5. Je crois qu'il viendra.　　　→ _____

3 Voici cinq affirmations. Donnez votre opinion personnelle (positive ou négative) avec un exemple.

1. Le réchauffement climatique, c'est le problème le plus important aujourd'hui.

_____

_____

2. On vit mieux qu'il y a trente ans.

_____

_____

3. C'est impossible de vivre sans Internet.

_____

_____

4. Les hommes s'occupent des enfants aussi bien que les femmes.

_____

_____

5. On peut vivre très heureux sans argent.

_____

_____

11.2 Nous avons l'intention de déménager bientôt

Notre appartement est trop petit.
Il faut donc déménager.

Donner des explications

• **À cause de** + nom (contexte neutre ou négatif).
*Nous ne sommes pas sortis **à cause de** la pluie.*

• **Grâce à** + nom (contexte positif).
*Il a obtenu ce travail **grâce à** son oncle.*

▶10.4 **Les subordonnées de cause**   p. 104

Exprimer une conséquence

• **Alors (donc et alors ont la même valeur).**
*Nous avons besoin d'un appartement plus grand, **donc** nous devons déménager.*

• **C'est pourquoi**…
*Nous souhaitons changer d'appartement. **C'est pourquoi** nous nous adressons à tous nos amis.*

▶10.1 **Les principaux connecteurs**   p. 98

Exprimer une intention, un but

• **Pour** + nom ou **pour** + infinitif.
*Il a beaucoup travaillé **pour** son concours.*
*Il a beaucoup travaillé **pour** réussir dans la vie.*

• **Dans le but de** + infinitif.
*Il prépare ce concours **dans le but de** devenir diplomate.*

1 Écoutez les questions. Cochez la réponse qui convient.

1. ☐ Parce qu'elle est adorable.
2. ☐ C'était pour rire, je voulais m'amuser.
3. ☐ Pour réussir dans la vie.
4. ☐ Alors, il était furieux, bien sûr !
5. ☐ Oui, c'est pour ça que je suis fatigué.
6. ☐ Pour son nouveau travail à la banque.

☐ C'est grâce à mon frère Louis.
☐ Donc, je suis parti à huit heures.
☐ Parce que j'ai entendu une histoire très drôle.
☐ Parce qu'il avait raison.
☐ Non, c'était à cause de toi.
☐ Grâce à moi. Je l'ai aidé.

2 Associez.

1. Mon réveil n'a pas sonné.
2. Il est tombé dans l'escalier.
3. La météo annonce de la pluie.
4. Je lisais dans le métro.
5. Il y avait beaucoup de voitures sur l'autoroute.
6. Il mange tout le temps.

A. Donc, on ne part pas demain.
B. Voilà pourquoi on a mis trois heures pour faire la route.
C. Donc je suis arrivé en retard au travail.
D. Alors, il a des problèmes de poids, bien sûr !
E. C'est pour ça que j'ai oublié de descendre à ma station.
F. Conséquence : une jambe cassée !

1	2	3	4	5	6

3 Complétez avec *comme*, *à cause de*, *parce que*, *donc*, *c'est pourquoi* et *pour*.

1. _____ il faisait un temps magnifique, nous sommes allés à la plage.

2. Personne ne comprend ce professeur _____ il parle trop vite.

3. Ils sont passés par la fenêtre _____ entrer dans la maison et tout voler.

4. L'ascenseur ne marche pas _____ il faut monter à pied les dix étages. Courage !

5. Elle n'est pas venue en cours depuis trois jours. Je vais _____ appeler chez elle
   pour prendre de ses nouvelles.

6. Voilà, _____ toi, on est en retard ! Allez, dépêche-toi !

4 À partir des éléments suivants, faites des phrases complètes. Mettez en évidence
   la relation cause/conséquence, comme dans l'exemple.

Disputes → séparation → divorce

   Comme ils se disputaient beaucoup, ils se sont d'abord séparés, puis ils ont divorcé.

1. Trop de travail → beaucoup de stress → malade

   _____

2. Mauvais temps → aéroport de Bruxelles fermé → arrivée à l'aéroport de Roissy-Charles-de-Gaulle

   _____

3. Trop de télévision, trop d'Internet, trop de jeux vidéo → élèves fatigués → mauvais résultats au collège

   _____

11.3 À qui tu ressembles ?

Comparer

On compare deux personnes, deux choses, deux faits, deux idées.

▶ **7.3 Le comparatif**
p. 72

Pour exprimer la ressemblance :

- **comme** + nom ou pronom.
  *Elle est **comme** son père : elle veut toujours avoir raison !*

- **le même, la même, les mêmes** + nom + **que**.
  *Elle a **le même** caractère que son père.*

- **ressembler à** + nom.
  *Elle **ressemble à** son père.*

- **être pareil(le) à, semblable à** + nom.
  *Cette robe est **semblable à** la mienne.*

Pour exprimer la différence :

- **Être différent(e) de** + nom.
  *Elle est **différente de** sa sœur.*

Ne confondez pas
comme (cause) et
comme (comparaison).

L'opposition/comparaison

On oppose deux faits, deux idées. L'opposition est totale.

- **Pas/non.**
  *Elle adore le hard rock. Moi, **pas** ! (ou : Moi, **non** !)*

- **Mais.**
  *Il n'est pas anglais **mais** irlandais.*

La concession

On oppose un fait à sa conséquence logique.

- **Pourtant.**
  *Il est sorti sans son manteau, et **pourtant** il fait froid !*
  (logiquement, s'il fait froid, on ne sort pas sans manteau.)

1 Écoutez. Cochez la phrase correcte.

1. ☐ Ils se ressemblent beaucoup.
2. ☐ Elle aime toutes les musiques du monde.
3. ☐ Arthur aime bien rester à la maison.
4. ☐ Manon adore faire la cuisine, elle est gourmande.
5. ☐ Arthur et Manon adorent les bébés.
6. ☐ Manon n'aime pas beaucoup le sport.
7. ☐ Manon se couche tard.
8. ☐ Manon a toujours trop chaud.

☐ Manon et Arthur n'ont pas les mêmes goûts.
☐ Il aime la musique classique.
☐ Manon aime bien aller dans les autres pays.
☐ Arthur aime bien la bonne cuisine.
☐ Arthur préfère les tout petits enfants.
☐ Manon et Arthur sont tous les deux très sportifs.
☐ Arthur se couche toujours vers deux heures du matin.
☐ Arthur déteste le froid. Il adore la chaleur !

2 Dans les phrases suivantes, *comme* exprime la cause ou la comparaison ? Cochez la bonne réponse.

	Cause	Comparaison
1. Comme ma voiture est en panne, je vais travailler à bicyclette.		
2. Comme son père et sa mère, Julie est professeur de mathématiques.		
3. Moi, je suis comme toi : je déteste le froid et j'aime le soleil.		
4. Comme il est très timide, il ne parle jamais à personne.		
5. Comme nous, nos voisins adorent vivre ici.		
6. Comme il était très tard, nous sommes rentrés en taxi.		

3 Quelle phrase a le même sens que la phrase de départ ?

1. Elle a la même taille que sa mère.
   ☐ Elle est aussi grande que sa mère.
   ☐ Elle est un peu plus petite que sa mère.

2. Il gagne autant d'argent que ses collègues.
   ☐ Il est aussi intéressant que ses collègues.
   ☐ Il a le même salaire que ses collègues.

3. C'est un garçon très spécial. Mais tout le monde l'aime bien.
   ☐ Tout le monde l'aime bien parce qu'il a un caractère spécial.
   ☐ Tout le monde l'aime bien. C'est bizarre : il a un caractère très spécial !

4. Il fait exactement le même temps qu'hier : pluie, pluie, pluie... toute la journée.
   ☐ Il pleut, exactement comme hier.
   ☐ Hier, il a plu toute la journée.

4 Complétez les phrases avec *mais* ou *pourtant*.

1. Sonia tousse beaucoup _____ elle ne fume pas.

2. Karim ne parle pas allemand _____ il parle très bien anglais.

3. Esther ne voyage pas en train _____ en avion.

4. Je n'ai pas lu le dernier livre de cet écrivain _____ j'adore son style.

5. Nous prenons le café en terrasse _____ il ne fait pas chaud

113

11.4 Si vous avez le temps, lisez cette lettre...

Monsieur le Président,
Je vous fais une lettre
Que vous lirez peut-être
Si vous avez le temps...

Boris Vian, *Le déserteur* (1954)

Faire une suggestion, proposer quelque chose

Si + imparfait.
> *Si on allait au cinéma ce soir ? Qu'est-ce que tu en penses ?*
> *Il n'y a rien dans le frigo. Si on dînait dehors ?*

Exprimer la condition ou l'hypothèse

- **À condition de** + infinitif
  > *Je t'aiderai à condition d'avoir le temps.*

Exprimer le désir, le souhait

Pour exprimer le désir ou le souhait, on utilise **le conditionnel**.

Pour le former, on se base sur le futur et on ajoute les terminaisons
-ais, -ais, -ait, -ions, -iez, -aient.

J'aime**rais**	Nous aime**rions**
Tu aime**rais**	Vous aime**riez**
Il/elle/on aime**rait**	Ils/elles aime**raient**

J'aimerais beaucoup voir ce film.
Qu'est-ce que tu voudrais faire plus tard ?
On voudrait tous partir avec toi au Pôle nord !
Nous voudrions nous inscrire au cours du lundi.
Vous n'aimeriez pas vivre à Nice ?
Elles voudraient vous dire un mot. C'est possible ?

▶10.4 **Les subordonnées de condition** p. 104

Après **si**, le verbe n'est jamais au futur.

1 Écoutez. Cochez ce que vous entendez.

1. ☐ Si elle vient, c'est parfait ! ☐ Si elle vient, ce sera parfait !

2. ☐ Si on a le temps, on ira plus souvent à la piscine. ☐ Si j'avais plus de temps, j'irai à la piscine.

3. ☐ Si tu n'es pas là, qu'est-ce que je fais ? ☐ Si elle n'est pas là, qu'est-ce que tu feras ?

4. ☐ Si vous êtes courageux, vous lui direz la vérité. ☐ Si vous êtes courageux, dites-lui la vérité.

5. ☐ Si c'est avec toi, j'accepte ce travail. ☐ Si c'est pour toi, j'accepterai ce travail.

6. ☐ Si tu fais de la gym, tu iras mieux. ☐ Si tu faisais de la gym, tout ira mieux.

2 Écoutez. Vous entendez un présent, un imparfait, un futur ou un conditionnel ?

	1.	2.	3.	4.	5.	6.	7.	8.
Présent								
Imparfait								
Futur								
Conditionnel								

3 Associez les deux parties de chaque phrase.

1. Si tu as faim,
2. Si tu as mal à la tête,
3. Si vous achetez cet ordinateur,
4. Si tu viens me voir à Paris,
5. S'il parle bien chinois,
6. Si on va une semaine à Londres,
7. S'ils gagnent au Loto,
8. Si je peux choisir la date,

A. nous vous offrons une garantie de cinq ans.
B. il partira à Shanghai.
C. tu viendras avec nous ?
D. va voir le médecin.
E. ils feront des voyages.
F. prends une pomme ou un gâteau.
G. je préfère partir en mai.
H. tu pourras habiter chez moi.

1	2	3	4	5	6	7	8

4 Transformez comme dans l'exemple.

Faites du sport. Vous dormirez mieux. → _Si vous faites du sport, vous dormirez mieux._

1. Mets ton manteau. Tu n'auras pas froid. → _____

2. Partons tout de suite. Nous verrons le début du film. → _____

3. Arrêtez la cigarette. Vous irez beaucoup mieux. → _____

4. Partez avant 15 h. Il y aura moins de voitures sur l'autoroute. → _____

5. Réservez vos places de théâtre avec Tic-Tac. C'est moins cher. → _____

6. Travaille un peu plus régulièrement. Tu réussiras. → _____

On fait le point !

1 À partir de ces éléments, faites deux phrases comme dans l'exemple.

Je n'ai pas entendu mon réveil. Je suis arrivé en retard au travail.

    Phrase 1 : _Je suis arrivé en retard au travail parce que je n'ai pas entendu mon réveil._

    Phrase 2 : _Je n'ai pas entendu mon réveil donc je suis arrivé en retard au travail._

1. Il pleut très fort. On ne peut pas sortir.

    Phrase 1 : _____

    Phrase 2 : _____

2. Mon ordinateur est tombé par terre. Il ne marche plus.

    Phrase 1 : _____

    Phrase 2 : _____

2 Cochez la phrase qui a le même sens que la phrase de départ.

1. Si tu as ton examen, je t'offre un voyage en Corse.
   - ☐ Tu iras en Corse à condition d'être reçu à ton examen.
   - ☐ Après ton examen, tu iras en Corse.

2. Si Charlotte téléphone, dis-lui que je ne suis pas là.
   - ☐ Quand Charlotte téléphonera, je serai parti.
   - ☐ Je ne veux pas parler à Charlotte au téléphone.

3. Si vous insistez, il viendra à la soirée, je pense.
   - ☐ Insistez et il viendra peut-être.
   - ☐ Il insiste pour venir à la soirée.

4. Si tu n'as pas d'amis, c'est parce que tu as mauvais caractère.
   - ☐ Avec un meilleur caractère, tu aurais plus d'amis.
   - ☐ Tous tes amis ont bon caractère.

5. Si on lui explique calmement les choses, il comprendra.
   - ☐ Il peut comprendre la situation.
   - ☐ Il est trop jeune pour comprendre.

ET CHEZ VOUS ?

En général, les Français sont très polis, diplomates. Ils n'aiment pas dire : **C'est idiot ! Vous avez tort !
Ce n'est pas vrai !** Ils disent : **Je ne suis pas tout à fait d'accord avec vous. Vous avez peut-être raison
mais**... Et chez vous ? On dit ouvertement qu'on n'est pas d'accord ou non ? Donnez deux ou trois exemples.

_____

_____

_____

_____

_____

ANNEXE

Tableau de conjugaison

AVOIR (eu)

INDICATIF				IMPÉRATIF
présent	passé composé	imparfait	futur simple	présent
j'ai	j'ai eu	j'avais	j'aurai	
tu as	tu as eu	tu avais	tu auras	aie
il/elle/on a	il/elle/on a eu	il/elle/on avait	il/elle/on aura	
nous avons	nous avons eu	nous avions	nous aurons	ayons
vous avez	vous avez eu	vous aviez	vous aurez	ayez
ils/elles ont	ils/elles ont eu	ils/elles avaient	ils/elles auront	

ÊTRE (été)

INDICATIF				IMPÉRATIF
présent	passé composé	imparfait	futur simple	présent
je suis	j'ai été	j'étais	je serai	
tu es	tu as été	tu étais	tu seras	sois
il/elle/on est	il/elle/on a été	il/elle/on était	il/elle/on sera	
nous sommes	nous avons été	nous étions	nous serons	soyons
vous êtes	vous avez été	vous étiez	vous serez	soyez
ils/elles sont	ils/elles ont été	ils/elles étaient	ils/elles seront	

REGARDER (regardé)

INDICATIF				IMPÉRATIF
présent	passé composé	imparfait	futur simple	présent
je regarde	j'ai regardé	je regardais	je regarderai	
tu regardes	tu as regardé	tu regardais	tu regarderas	regarde
il/elle/on regarde	il/elle/on a regardé	il/elle/on regardait	il/elle/on regardera	
nous regardons	nous avons regardé	nous regardions	nous regarderons	regardons
vous regardez	vous avez regardé	vous regardiez	vous regarderez	regardez
ils/elles regardent	ils/elles ont regardé	ils/elles regardaient	ils/elles regarderont	

SE LEVER (levé)

INDICATIF				IMPÉRATIF
présent	passé composé	imparfait	futur simple	présent
je me lève	je me suis levé(e)	je me levais	je me lèverai	
tu te lèves	tu t'es levé(e)	tu te levais	tu te lèveras	lève-toi
il/elle/on se lève	il/elle/on s'est levé(e)	il/elle/on se levait	il/elle/on se lèvera	
nous nous levons	nous nous sommes levé(e)s	nous nous levions	nous nous lèverons	levons-nous
vous vous levez	vous vous êtes levé(e)(s)	vous vous leviez	vous vous lèverez	levez-vous
ils/elles se lèvent	ils/elles se sont levé(e)s	ils/elles se levaient	ils/elles se lèveront	

FINIR (fini)

INDICATIF				IMPÉRATIF
présent	**passé composé**	**imparfait**	**futur simple**	**présent**
je finis	j'ai fini	je finissais	je finirai	
tu finis	tu as fini	tu finissais	tu finiras	finis
il/elle/on finit	il/elle/on a fini	il/elle/on finissait	il/elle/on finira	
nous finissons	nous avons fini	nous finissions	nous finirons	finissons
vous finissez	vous avez fini	vous finissiez	vous finirez	finissez
ils/elles finissent	ils/elles ont fini	ils/elles finissaient	ils/elles finiront	

ALLER (allé)

INDICATIF				IMPÉRATIF
présent	**passé composé**	**imparfait**	**futur simple**	**présent**
je vais	je suis allé(e)	j'allais	j'irai	
tu vas	tu es allé(e)	tu allais	tu iras	va
il/elle/on va	il/elle/on est allé(e)	il/elle/on allait	il/elle/on ira	
nous allons	nous sommes allé(e)s	nous allions	nous irons	allons
vous allez	vous êtes allé(e)(s)	vous alliez	vous irez	allez
ils/elles vont	ils/elles sont allé(e)s	ils/elles allaient	ils/elles iront	

CONNAÎTRE (connu)

INDICATIF				IMPÉRATIF
présent	**passé composé**	**imparfait**	**futur simple**	**présent**
je connais	j'ai connu	je connaissais	je connaîtrai	
tu connais	tu as connu	tu connaissais	tu connaîtras	connais
il/elle/on connaît	il/elle/on a connu	il/elle/on connaissait	il/elle/on connaîtra	
nous connaissons	nous avons connu	nous connaissions	nous connaîtrons	connaissons
vous connaissez	vous avez connu	vous connaissiez	vous connaîtrez	connaissez
ils/elles connaissent	ils/elles ont connu	ils/elles connaissaient	ils/elles connaîtront	

DEVOIR (dû)

INDICATIF			
présent	**passé composé**	**imparfait**	**futur simple**
je dois	j'ai dû	je devais	je devrai
tu dois	tu as dû	tu devais	tu devras
il/elle/on doit	il/elle/on a dû	il/elle/on devait	il/elle/on devra
nous devons	nous avons dû	nous devions	nous devrons
vous devez	vous avez dû	vous deviez	vous devrez
ils/elles doivent	ils/elles ont dû	ils/elles devaient	ils/elles devront

DIRE (dit)

INDICATIF				IMPÉRATIF
présent	passé composé	imparfait	futur simple	présent
je dis	j'ai dit	je disais	je dirai	
tu dis	tu as dit	tu disais	tu diras	dis
il/elle/on dit	il/elle/on a dit	il/elle/on disait	il/elle/on dira	
nous disons	nous avons dit	nous disions	nous dirons	disons
vous dites	vous avez dit	vous disiez	vous direz	dites
ils/elles disent	ils/elles ont dit	ils/elles disaientt	ils/elles diront	

ÉCRIRE (écrit)

INDICATIF				IMPÉRATIF
présent	passé composé	imparfait	futur simple	présent
j'écris	j'ai écrit	j'écrivais	j'écrirai	
tu écris	tu as écrit	tu écrivais	tu écriras	écris
il/elle/on écrit	il/elle/on a écrit	il/elle/on écrivait	il/elle/on écrira	
nous écrivons	nous avons écrit	nous écrivons	nous écrirons	écrivons
vous écrivez	vous avez écrit	vous écrivez	vous écrirez	écrivez
ils/elles écrivent	ils/elles ont écrit	ils/elles écrivent	ils/elles écriront	

FAIRE (fait)

INDICATIF				IMPÉRATIF
présent	passé composé	imparfait	futur simple	présent
je fais	j'ai fait	je faisais	je ferai	
tu fais	tu as fait	tu faisais	tu feras	fais
il/elle/on fait	il/elle/on a fait	il/elle/on faisait	il/elle/on fera	
nous faisons	nous avons fait	nous faisions	nous ferons	faisons
vous faites	vous avez fait	vous faisiez	vous ferez	faites
ils/elles font	ils/elles ont fait	ils/elles faisaient	ils/elles feront	

LIRE (lu)

INDICATIF				IMPÉRATIF
présent	passé composé	imparfait	futur simple	présent
je lis	j'ai lu	je lisais	je lirai	
tu lis	tu as lu	tu lisais	tu liras	lis
il/elle/on lit	il/elle/on a lu	il/elle/on lisait	il/elle/on lira	
nous lisons	nous avons lu	nous lisions	nous lirons	lisons
vous lisez	vous avez lu	vous lisiez	vous lirez	lisez
ils/elles lisent	ils/elles ont lu	ils/elles lisaient	ils/elles liront	

PARTIR (parti)

INDICATIF				IMPÉRATIF
présent	passé composé	imparfait	futur simple	présent
je pars	je suis parti(e)	je partais	je partirai	
tu pars	tu es parti(e)	tu partais	tu partiras	pars
il/elle/on part	il/elle/on est parti(e)	il/elle/on partait	il/elle/on partira	
nous partons	nous sommes parti(e)s	nous partions	nous partirons	partons
vous partez	vous êtes parti(e)(s)	vous partiez	vous partirez	partez
ils/elles partent	ils/elles sont parti(e)s	ils/elles partaient	ils/elles partiront	

POUVOIR (pu)

INDICATIF			
présent	passé composé	imparfait	futur simple
je peux	j'ai pu	je pouvais	je pourrai
tu peux	tu as pu	tu pouvais	tu pourras
il/elle/on peut	il/elle/on a pu	il/elle/on pouvait	il/elle/on pourra
nous pouvons	nous avons pu	nous pouvions	nous pourrons
vous pouvez	vous avez pu	vous pouviez	vous pourrez
ils/elles peuvent	ils/elles ont pu	ils/elles pouvaient	ils/elles pourront

PRENDRE (pris)

INDICATIF				IMPÉRATIF
présent	passé composé	imparfait	futur simple	présent
je prends	j'ai pris	je prenais	je prendrai	
tu prends	tu as pris	tu prenais	tu prendras	prends
il/elle/on prend	il/elle/on a pris	il/elle/on prenait	il/elle/on prendra	
nous prenons	nous avons pris	nous prenions	nous prendrons	prenons
vous prenez	vous avez pris	vous preniez	vous prendrez	prenez
ils/elles prennent	ils/elles ont pris	ils/elles prenaient	ils/elles prendront	

SAVOIR (su)

INDICATIF				IMPÉRATIF
présent	passé composé	imparfait	futur simple	présent
je sais	j'ai su	je savais	je saurai	
tu sais	tu as su	tu savais	tu sauras	sache
il/elle/on sait	il/elle/on a su	il/elle/on savait	il/elle/on saura	
nous savons	nous avons su	nous savions	nous saurons	sachons
vous savez	vous avez su	vous saviez	vous saurez	sachez
ils/elles savent	ils/elles ont su	ils/elles savaient	ils/elles sauront	

VENIR (venu)

INDICATIF				IMPÉRATIF
présent	passé composé	imparfait	futur simple	présent
je viens	je suis venu(e)	je venais	je viendrai	
tu viens	tu es venu(e)	tu venais	tu viendras	viens
il/elle/on vient	il/elle/on est venu(e)	il/elle/on venait	il/elle/on viendra	
nous venons	nous sommes venu(e)s	nous venions	nous viendrons	venons
vous venez	vous êtes venu(e)(s)	vous veniez	vous viendrez	venez
ils/elles viennent	ils/elles sont venus(e)s	ils/elles venaient	ils/elles viendront	

VIVRE (vécu)

INDICATIF				IMPÉRATIF
présent	**passé composé**	**imparfait**	**futur simple**	**présent**
je vis	j'ai vécu	je vivais	je vivrai	
tu vis	tu as vécu	tu vivais	tu vivras	vis
il/elle/on vit	il/elle/on a vécu	il/elle/on vivait	il/elle/on vivra	
nous vivons	nous avons vécu	nous vivions	nous vivrons	vivons
vous vivez	vous avez vécu	vous viviez	vous vivrez	vivez
ils/elles vivent	ils/elles ont vécu	ils/elles vivaient	ils/elles vivront	

VOIR (vu)

INDICATIF				IMPÉRATIF
présent	**passé composé**	**imparfait**	**futur simple**	**présent**
je vois	j'ai vu	je voyais	je verrai	
tu vois	tu as vu	tu voyais	tu verras	vois
il/elle/on voit	il/elle/on a vu	il/elle/on voyait	il/elle/on verra	
nous voyons	nous avons vu	nous voyions	nous verrons	voyons
vous voyez	vous avez vu	vous voyiez	vous verrez	voyez
ils/elles voient	ils/elles ont vu	ils/elles voyaient	ils/elles verront	

VOULOIR (voulu)

INDICATIF				IMPÉRATIF
présent	**passé composé**	**imparfait**	**futur simple**	**présent**
je veux	j'ai voulu	je voulais	je voudrai	
tu veux	tu as voulu	tu voulais	tu voudras	veuille
il/elle/on veut	il/elle/on a voulu	il/elle/on voulait	il/elle/on voudra	
nous voulons	nous avons voulu	nous voulions	nous voudrons	voulons
vous voulez	vous avez voulu	vous vouliez	vous voudrez	veuillez
ils/elles veulent	ils/elles ont voulu	ils/elles voulaient	ils/elles voudront	

aimer	*qqn ou qqch* *+ infinitif*	*J'aime mes voisins ; j'aime le chocolat noir.* *J'aime aller au cinéma le dimanche.*
apprendre	*qqch* *qqch à quelqu'un* ***que** + indicatif* ***à** faire qqch*	*Mon copain apprend l'allemand au Goethe-Institut.* *Il m'a appris son départ hier soir.* *Vous avez appris qu'il partait ?* *J'ai appris à faire des sushis.*
arriver	*Ø* ***à** faire qqch*	*Regarde, il arrive. Enfin !* *Je n'arrive pas à te croire !*
attendre	*+ durée* *qqch ou qqn*	*Attends une minute !* *J'attends le bus ; j'attends mon frère.*
avoir	*qqch* *+ âge*	*J'ai une belle petite voiture rouge.* *Il a dix-neuf ans.*
avoir	*+ nom sans article*	*avoir faim, soif, chaud, froid, mal, peur de, besoin de, envie de ...*
compter	*Ø* *qqn ou qqch* ***sur** qqn ou qqch*	*Je compte jusqu'à dix et j'y vais !* *Tu comptes les moutons pour t'endormir ?* *Ne comptez ni sur moi ni sur la chance.*
décider	***de** + infinitif* ***que** + indicatif*	*On a décidé de prendre l'autoroute A13.* *Il a décidé qu'il préférait partir tout seul.*
dire	*qqch à qqn* ***que** + indicatif*	*Dis-lui la vérité !* *Il dit qu'il est venu. (= assertion)*
donner	*qqch à qqn* *qqch + **à** + inf*	*Donne-moi cent euros, s'il te plaît.* *Il nous a donné un exercice à faire pour demain.*
expliquer	*qqch à qqn*	*Tu peux m'expliquer cette règle de grammaire ?*
finir	*qqch* ***de** + infinitif*	*Tu as fini ton travail ?* *Tu as fini de travailler ?*
mettre	*qqch (vêtements)* *qqn + lieu* *+ durée*	*Mets ton écharpe, il fait froid.* *On l'a mis en prison.* *Il n'y avait plus de métro : j'ai mis deux heures pour rentrer !*
oublier	*Ø* ***de** + infinitif*	*J'y pense et puis j'oublie !* *N'oublie pas de prendre le pain en rentrant.*
parler	*Ø* *+ une langue* *à qqn* *à qqn de qqch*	*Chut ! Personne ne parle !* *Tu parles grec ?* *Je ne lui parle plus, on est fâchés !* *Parle-moi un peu de tes projets.*
penser	***à** qqn / **à** qqch* *+ infinitif* ***à** + infinitif* ***que** + indicatif*	*Ne pense plus à ton copain, pense plutôt à tes études !* *Ils ne pensent pas retourner sur la Côte cette année.* *Pense à téléphoner à Mamie pour ses soixante-dix ans.* *Je pense que tu as raison.*
prendre	*qqch* *+ moyen de transport*	*Prenez vos livres et ouvrez-les à la page 45.* *Je n'ai jamais pris l'avion/ le train/ le bus/ le métro de ma vie.*
tenir	*qqn / qqch*	*Tiens bien la barre du métro !*

Voyelles orales

[i]	*dit* [di], *ici* [isi]
[e]	*thé* [te], *avez* [ave], *présenter* [pʀezɑ̃te]
[ɛ]	*dès* [dɛ], *très* [tʀɛ], *appelle* [apɛl], *adresse* [adʀɛs]
[a]	*cravate* [kʀavat]
[ɑ]	*pâte* [pɑt]
[ɔ]	*dort* [dɔʀ], *téléphone* [telefɔn]
[o]	*dos* [do], *gâteau* [gɑto]
[u]	*vous* [vu], *bijoux* [biʒu]
[y]	*du* [dy], *dessus* [dəsy]
[ø]	*deux* [dø], *nerveuse* [nɛʀvøz]
[œ]	*jeune* [ʒœn], *neuf* [nœf]
[ə]	*ce* [sə], *je* [ʒə]

> [ɑ] a tendance à disparaître. On lui préfère souvent [a].

Voyelles nasales

[œ̃]	*brun* [bʀœ̃], *parfum* [paʀfœ̃]
[ɛ̃]	*voisin* [vwazɛ̃], *impossible* [ɛ̃pɔsibl], *plein* [plɛ̃]
[ɑ̃]	*dans* [dɑ̃], *prendre* [pʀɑ̃dʀ]
[ɔ̃]	*nom* [nɔ̃], *garçon* [gaʀsɔ̃]

> [œ̃] est très souvent remplacé par [ɛ̃] en France métropolitaine.

Consonnes

[p]	*pour* [puʀ]
[b]	*bout* [bu]
[t]	*tout* [tu]
[d]	*doute* [dut]
[k]	*car* [kaʀ], *qui* [ki], *kermesse* [kɛʀmɛs]
[g]	*gare* [gaʀ]
[s]	*sous* [su], *ça* [sa], *place* [plas], *invitation* [ɛ̃vitasjɔ̃]
[z]	*seize* [sɛz], *visiter* [vizite]
[ʃ]	*cheval* [ʃəval], *acheter* [aʃəte]
[ʒ]	*journée* [ʒuʀne], *jeux* [ʒœ]
[f]	*facile* [fasil]
[v]	*vous* [vu], *vanille* [vanij]
[ʀ]	*ri* [ʀi], *père* [pɛʀ], *livre* [livʀ], *arriver* [aʀive]
[l]	*loin* [lwɛ̃], *tableau* [tablo], *salle* [sal]
[m]	*mal* [mal], *chemise* [ʃəmiz]
[n]	*ne* [nə], *anniversaire* [anivɛʀsɛʀ], *brésilienne* [bʀeziljɛn]
[ɲ]	*montagne* [mɔ̃taɲ], *peigner* [peɲe]

Semi-consonnes

[ɥ]	*lui* [lɥi], *nuit* [nɥi]
[w]	*oui* [wi], *souhait* [swɛ], *square* [skwaʀ]
[j]	*travailler* [travaje], *payer* [peje], *fille* [fij], *yeux* [jø]

La grammaire du français A1

Auteur
Sylvie Poisson-Quinton

Révision pédagogique
Philippe Liria

Édition
Jeanne Perrin, Mateo Caballero

Correction
Sarah Billecocq

Conception graphique et couverture
Luis Luján

Mise en page
Laurianne López

Illustrations
Rumbeta Juanes

Enregistrements
Blinds records

Réimpression : mai 2015
ISBN : 978-84-15640-12-7
Dépôt légal : B-08.103-2014
Imprimé dans l'UE

www.emdl.fr/fle